CAHIERS DU CENTRE JEAN BÉRARD, XI

© Centre Jean Bérard - ISBN 2-903189-26-9

LES AMPHORES DU VIe AU IVe SIÈCLE
DANS LES FOUILLES DE LIPARI

*Ouvrage financé
par la Direction Générale
des Relations Culturelles
du Ministère des
Relations Extérieures*

Madeleine CAVALIER

LES AMPHORES DU VIe AU IVe SIÈCLE
DANS LES FOUILLES DE LIPARI

Avec une introduction
de Luigi Bernabò Brea

CAHIERS DES AMPHORES
ARCHAÏQUES ET CLASSIQUES, 1

CAHIERS DU CENTRE JEAN BÉRARD, XI
Naples, 1985

Diffusion des publications:

L'ERMA di Bretschneider Via Cassiodoro, 19 00193 Roma	G. Macchiaroli Via Carducci, 55 80121 Napoli	R. Habelt Am Buchenhang, 1 5300 Bonn	Les Belles Lettres 95, bd Raspail 75006 Paris

SOMMAIRE

Vario, molteplice è l'interesse archeologico delle anfore.

Quali contenitori di merci diverse (soprattutto, ma non esclusivamente, vino e olio) quando se ne sia potuto accertare la datazione e il luogo di origine esse ci testimoniano l'età, l'ampiezza e l'intensità di commerci dei quali le fonti letterarie solo in rari casi,e comunque sempre in termini imprecisi, ci conservavano il ricordo.

Le anfore invece ci rivelano con esattezza fino a quali lidi, per quali vie ed entro quali limiti di tempo ha avuto luogo l'esportazione di determinati prodotti.

Sono quindi una delle fonti principali per la storia del commercio e dell'economia nell'antichità.

Ma sovente frammenti di anfore di importazione di uno stesso tipo si trovano in strati archeologici di paesi molto lontani fra loro, e sono quindi uno degli elementi più importanti, e in qualche caso il solo, per la datazione di questi strati e per la correlazione cronologica delle serie evolutive dei diversi artigianati locali, sviluppatisi indipendentemente l'uno dall'altro in ambienti diversi e seguendo diverse tradizioni.

Approfondire lo studio delle anfore antiche significa quindi perfezionare gli strumenti di lavoro che gli archeologi hanno a disposizione e può avere importanti riflessi in settori molto diversi dello studio dell'antichità.

D'altronde al momento attuale lo studio delle anfore di età romana è forse più avanzato che quello delle anfore dell'età greca.

Opportuna è quindi l'iniziativa del Centre Jean Bérard, suggerita da Paola Pelagatti, di dedicare una serie di quaderni allo studio delle anfore di età greca.

Ciò permetterà di raccogliere sistematicamente tutti i dati di cui oggi siamo in possesso per approfondire questo studio basandoci sia su analisi territoriali, sia sull'esame delle singole classi. Una visione integrerà l'altra.

Alle analisi territoriali appartiene la monografia di Madeleine Cavalier che apre la serie di questi quaderni.

Essa raccoglie praticamente tutti i frammenti di anfore di età greca venuti in luce negli scavi di Lipari, che abbiamo insieme diretto per più di trent'anni, ed esamina questi documenti soprattutto in rapporto con le associazioni nei corredi tombali e con la posizione stratigrafica dei frammenti nei singoli depositi di cui è stato eseguito uno scavo sistematico.

Raccoglie cioè tutti gli elementi che sono emersi dagli scavi eseguiti nelle isole Eolie, utili per la datazione dei singoli tipi anforici tenendo conto anche dei rinvenimenti sottomarini.

Luigi Bernabò Brea

LES AMPHORES ARCHAÏQUES ET CLASSIQUES ET LE COMMERCE EN MÉDITERRANÉE

Chronique du programme et perspectives

par

Mireille Cébeillac Gervasoni   **Paola Pelagatti**

La publication de ce premier *Cahier des Amphores Archaïques et Classiques* consacré aux amphores de Lipari est le point d'aboutissement d'un parcours méthodologique. Cependant il ne s'agit que de la première étape du programme élaboré par les chercheurs qui collaborent avec le Centre Jean Bérard sur «Les amphores archaïques et classiques en Méditerranée».

Nous souhaiterions retracer les phases qui ont conduit le Centre Jean Bérard à proposer cette recherche. Alors même que le Centre Jean Bérard parrainait, à ses débuts (1977), le programme d'Antoinette Hesnard sur les amphores romaines Dressel 1 et Dressel 2-4, en Sicile P. Pelagatti à Camarina, M. Cébeillac Gervasoni et M. Gras à Megara Hyblaea s'interrogeaient sur les problèmes posés par les amphores commerciales, trouvées dans les nécropoles archaïques. C'est ce jalon sicilien qui a pris, en 1981, le relais du programme d'amphores romaines (devenu R.C.P. 403 du C.N.R.S. sous la direction de A. Tchernia). Une constatation s'imposait: ce type de céramique avait, jusqu'à des temps récents, peu intéressé les fouilleurs; ce matériel était souvent resté inédit, parfois même non inventorié, et la première difficulté que rencontrait quiconque s'intéressait à ces vases-récipients était celle de la documentation.

Avant de pouvoir se consacrer aux problèmes de circulation de ce matériel, au contenu, ou à la fabrication même de ces objets, il fallait tenter de déterminer des provenances, d'établir des typologies.

Une première rencontre de travail eut lieu à Naples le 15 décembre 1981. Un groupe de chercheurs qui avaient participé au colloque organisé par le Centre Jean Bérard sur «Vélia et les Phocéens: un bilan dix ans après», adhéra à cette initiative(1); dès cette première séance de travail, la présence et les conseils d'André Tchernia se révélèrent fort utiles sur un plan méthodologique. On décida qu'il fallait partir d'un vo-

---

(1) Il s'agit de Cl. Albore Livadie, L. Bernabò Brea, M. Cavalier, M. Cébeillac, N. Di Sandro, M. Fourmont, M. Gras, J. de La Genière, Ch. Lemoine, J.-P. Morel, G. Nenci, A. Nickels, P. Pelagatti, M. Picon, M. Pierobon, F. Ridgway, P. Rouillard, A. Tchernia, H. Tréziny, F. Zevi.

cabulaire commun et établir une fiche qui permette une description précise, objective du matériel et pallier les carences de typologies, trop souvent remplacées par des «étiquettes» parfois fantaisistes. Pour ces problèmes, nous devions toujours avoir présents à l'esprit les propos de J.-P. Morel qui, au delà du problème de la céramique campanienne, sont valables pour toute recherche typologique: «Une typologie est un système de références fixe, sinon définitif... Elle doit être explicative plutôt que figurative... mais elle doit être aussi descriptive plutôt qu'interprétative... elle offre le vocabulaire de base dont se forment... divers langages»(2).

Au cours de l'année 1982, on élabora une fiche grâce à la collaboration de divers chercheurs(3). Une table ronde fut organisée à Valbonne du 4 au 6 novembre 1982(4). On partit d'exposés de problèmes de méthode par A. Tchernia et A. Hesnard (Expérience de documentation et de typologie à propos des amphores romaines) et d'une présentation par P. Dupont des résultats obtenus par les analyses sur des amphores de Grèce de l'Est. P. Pelagatti fit un historique des douze dernières années de recherches sur les amphores archaïques, soulignant la prudence avec laquelle il faut utiliser les dénominations classiques telles «Samos» ou «Chios» ou «à la brosse». Suivirent une série de présentations d'amphores, classées soit par sites, soit par types:

— M. Cavalier, Les amphores de Lipari
— M. Cébeillac Gervasoni, Les amphores de Mégara Hyblaea (nécropole méridionale)
— Cl. Albore Livadie, Les amphores de «Chios» connues en Campanie
— N. Di Sandro, Les amphores d'Ischia
— G. Bertucchi, Les amphores marseillaises
— P. Rouillard, Etat de l'étude sur les amphores grecques de la péninsule ibérique.

P.G. Guzzo rappela les questions qu'implique le transport des amphores (les rapports commerciaux, les problèmes d'usages secondaires, les problèmes de contenus transportés par ces contenants, l'identité des transporteurs).

L'accord fut total sur l'objectif à long terme: une histoire socio-économique; mais à court terme la première nécessité qui s'imposait était un inventaire. Un groupe

---

(2) J.-P. MOREL, **La céramique campanienne. Les formes,** Rome, Ecole Française de Rome, 1981, en particulier p. 26 ss., **Nature de la typologie.**

(3) Cl. Albore Livadie, F. Fouilland, M. Gras, A. Hesnard, J.-P. Morel, P. Pelagatti, P. Rouillard, M. Slaska.

(4) Elle a réuni: Cl. Albore Livadie, G. Bertucchi, M. Cavalier, M. Cébeillac Gervasoni, A. De Caro Lagi, S. De Caro, N. Di Sandro, G. Di Vita Evrard, P. Dupont, F. Fouilland, M. Fourmont, P. Guzzo, A. Hesnard, J. de La Genière, J.-L. Lamboley, B. Liou, J.-P. Morel, P. Pelagatti, M. Pierobon, P. Rouillard, A. Tchernia, H. Tréziny, G. Vallet, F. Zevi.

de travail se proposa de réélaborer et d'améliorer la fiche(5), avec l'aide de F. Badoni Parise de l'Istituto del Catalogo.

Sur une suggestion de F. Zevi, on décida de réaliser une bibliographie raisonnée sur chaque type d'amphores, instrument qui permettrait de comprendre la naissance de certaines appellations, en particulier de celles qui sont erronées.

Au cours de l'année 1983, plusieurs bibliographies raisonnées furent rédigées (H. Tréziny, Amphores attiques SOS; G. Bertucchi, Amphores marseillaises; P. Dupont, Amphores de la Mer Noire et bibliographie de langue russe) et distribuées aux collaborateurs de ce programme.

La recontre de Rome le 8 décembre 1983 en coïncidence avec l'ouverture de l'exposition du Musée de Villa Giulia sur «le anfore da trasporto e il commercio etrusco-arcaico»(6) réunit une trentaine de chercheurs(7) et permit d'avoir en avant-première une synthèse par C.G. Koehler sur «an overview of the development for the entire range of types A, A' and B» et une présentation par D. Adamesteanu des amphores trouvées à Métaponte. Le travail réalisé pour l'exposition de Villa Giulia démontra combien il était désormais urgent d'unifier les appellations; les discussions qui s'engagèrent lors de la réunion de travail et dans les salles d'exposition mirent en évidence les lacunes de la documentation dont nous disposons, la nécessité de revoir les problèmes d'étiquettes et de provenance. Une urgence s'imposait: faire connaître un matériel encore trop souvent inédit.

C'est ainsi que s'est élaboré le plan de publication des *Cahiers des Amphores Archaïques et Classiques* dont nous sommes heureux de présenter ici le numéro 1, grâce à la disponibilité et à la promptitude de M. Cavalier.

Au cours de diverses séances de travail, durant l'année 1984, il fut débattu des critères à suggérer aux collaborateurs de ces Cahiers. Après avoir longtemps oscillé entre l'imposition de normes rigides et une certaine liberté laissée à chaque auteur, c'est enfin cette deuxième hypothèse qui a prévalu. Un cadre minimal a été imposé; il com-

---

(5) On trouve le modèle de cette fiche en français et en italien à la fin du présent volume.

(6) Le Centre Jean Bérard s'est chargé de distribuer aux collaborateurs de ce programme un exemplaire du répertoire des amphores mis à disposition par le Musée de Villa Giulia, soit 250 amphores exposées. Le catalogue de cette exposition est sous presse et devrait sortir en concomitance avec le premier **Cahier des Amphores** du Centre Jean Bérard.

(7) Cl. Albore Livadie, D. Adamesteanu, F. Badoni Parise, I. Berlingò, N. Bookidis, B. Bouloumié, M. Cavalier, M. Cébeillac Gervasoni, M. Cristofani, N. Di Sandro, G. Di Vita Evrard, P. Dupont, F. Fouilland, M. Gras, P.G. Guzzo, A. Hesnard, C.G. Koehler, J. de La Genière, J.-L. Lamboley, B. Liou, M. Martelli Cristofani, J.-P. Morel, P. Moscati, P. Pelagatti, M. Pierobon, D. et F. Ridgway, P. Rouillard, G. Semeraro, M. Slaska, A. Tchernia, H. Tréziny, G. Tocco Sciarelli, Ch. Williams, F. Zevi.

prend des instructions sur la présentation photographique et graphique du matériel et le conseil pressant d'éviter pour un matériel encore énigmatique des «étiquettes» qui risquent d'oblitérer son identification réelle; en revanche, il n'a pas semblé indispensable d'opter pour un schéma unique. Chaque fascicule aura sa personnalité, pourra correspondre à une publication de l'ensemble des amphores archaïques et classiques d'un site (c'est le cas des fascicules consacrés à Lipari ou à la Campanie - Terre ferme) ou à une ou plusieurs catégories d'amphores quand il s'agira de sites prolifiques dans ce type de matériel (c'est le cas des fascicules consacrés à Camarina et à Megara Hyblaea). On ne saurait parler de corpus, et nous sommes encore loin de pouvoir déterminer des typologies. L'amphore sera publiée, dans la mesure du possible, avec son contexte archéologique.

Enfin, un fascicule sera consacré aux problèmes de méthodologie (A. Tchernia) et aux bibliographies raisonnées. Voici donc le premier stade de ce programme; il ne saurait être une fin en soi. Il s'agit seulement d'offrir aux chercheurs un matériel inédit.

Cet inventaire a aussi l'ambition de devenir un instrument de travail utile pour le départ, certainement souhaitable et indispensable, d'un programme d'analyses; elles devraient se rattacher à celles qui ont déjà été élaborées par Maurice Picon pour divers matériels dont celui de la France méridionale[8] et par d'autres chercheurs[9]. D'ici quelques années on pourra passer à un second stade de la recherche, s'interroger sur les ateliers, sur les contenus et les conteneurs, reprenant une définition, devenue classique, de Georges Vallet entre vases-marchandises et vases-récipients[10].

Cette série de publications ne saurait commencer sans que nous rappelions les noms des «pionniers» pour l'étude des amphores archaïques: Marcelle Lambrino pour

---

(8) Monsieur M. Picon est directeur du Laboratoire de Céramologie (U.R.A. n. 3 du Centre National de la Recherche Scientifique). Cf. in B. BOULOUMIÉ, **Les amphores étrusques de Saint-Blaise (fouilles H. Rolland,** dans **Rev. Arch. Narb.,** 9, 1976, p. 23-43; Id., **Essai de classification du bucchero trouvé à Saint-Blaise (fouilles H. Rolland),** dans **Le bucchero nero étrusque et sa diffusion en Gaule méridionale.** Actes de la Table-Ronde d'Aix-en-Provence (21-23 mai 1975) (Coll. Latomus, 160), Bruxelles, 1979, p. 111-123.

(9) Voir les recherches de J. JONES, du Fitch Laboratory de la British School at Athens (cf. son étude en collaboration avec A. Johnston dans **BSA,** 73, 1978, p. 103 sq. pour les amphores SOS et avec H. Tréziny pour le matériel attique importé à Megara Hyblaea dans **MEFRA,** 91, 1979, p. 7 sq. et en particulier p. 58-62). Voir aussi les recherches de A. Deriu de l'Istituto di Fisica dell'Università di Parma en collaboration avec G. Buchner et D. Ridgway pour le matériel de Pithécusses et avec F. Boitani pour le matériel d'Etrurie Méridionale (cf. catalogue de l'exposition de Villa Giulia, sous presse).

(10) Cf. G. VALLET, **L'introduction de l'olivier en Italie Centrale d'après les données de la céramique, Hommages à Albert Grenier, Latomus,** 58, 1962, p. 1555-1562, en particulier voir p. 1556. L'auteur a pour la première fois souligné l'importance de ces «conteneurs» dans le cadre de son étude sur l'introduction de l'olivier en Italie.

le matériel d'Histria(11), Fernand Benoît pour l'identification des amphores étrusques et marseillaises(12), François Villard pour les amphores ioniennes(13). Nous sommes de manière particulière redevables à Virginia Grace(14) qui a consacré une vie entière à cette recherche et dont l'admirable fichier à l'agora d'Athènes, inventaire de dizaines de milliers d'amphores, reste un instrument de travail irremplaçable.

Nous souhaitons terminer cette brève chronique en rappelant l'attention que Luigi Bernabò Brea en 1959 a portée aux amphores commerciales lors de la publication des fouilles de Mylai(15). C'est pourquoi nous sommes particulièrement heureuses que ce soit aujourd'hui ''Les Amphores de Lipari'' qui ouvre cette collection des *Cahiers des Amphores Archaïques et Classiques,* avec une introduction de L. Bernabò Brea.

(11) M.F. LAMBRINO, **Les vases archaïques d'Histria,** Bucarest, 1938.
(12) F. BENOIT, **Amphores grecques d'origine ou de provenance marseillaise, Riv. St. Liguri, XXI,** 1955, p. 32-43; Id., **Relations de Marseille grecque avec le monde Occidental, Riv. St. Liguri, XXII,** 1956, p. 19-21.
(13) F. VILLARD, **La céramique grecque de Marseille. Essai d'histoire économique,** Paris, 1960.
(14) V. GRACE, dont la bibliographie complète a été publiée dans **Hesperia,** 51, 1982, p. 365-367.
(15) L. BERNABÒ BREA, **Mylai,** Novara, 1959.

Je remercie le Centre Jean Bérard qui a accepté de publier cette étude dans la collection «Cahiers des Amphores Archaïques et Classiques», Paola Pelagatti, Surintendant-Archéologue pour l'Etrurie Méridionale, qui a bien voulu revoir mon manuscrit en y ajoutant d'importantes observations, Giuseppe Voza, Surintendant-Archéologue pour la Sicile Orientale, qui m'offre la possibilité de travailler à Lipari. Je remercie aussi François Villard et Gerhard Kapitaen pour les conseils qu'ils m'ont gentiment donnés et Georges Vallet, mon directeur de recherche au Centre National de la Recherche Scientifique.

Ce travail ne prétend pas être une étude systématique des amphores, son but est de mettre à la disposition des spécialistes le matériel qui a été trouvé au cours de nos fouilles dans les îles Eoliennes et qui est conservé au Musée Eolien à Lipari.

Pour chaque gisement j'ai réuni tous les éléments qui permettent de connaître l'utilisation et si possible la datation des amphores qui ont été trouvées.

(*) Je signale avec plaisir que le «Supplemento al Bollettino d'Arte d'Archeologia Subacquea II» qui sortira de presse en Juin 1985, est presque entièrement consacré à Lipari où Luigi Bernabò-Brea et moi-même (avec la collaboration d'autres chercheurs) nous publions les amphores d'époque hellénistique et romaine, de provenance sous-marine.

LA LIPÀRA GRECQUE

La Lipàra grecque a été fondée au cours de la cinquantième Olympiade (580-576 av. J.-C.) par un groupe de Cnidiens auxquels s'ajoutèrent peut-être un certain nombre de Rhodiens. (1)

Ils étaient les rescapés de l'expédition conduite par Pentathlos qui avait pour but de fonder une ville grecque sur le site de Lilybée à l'extrémité occidentale de la Sicile. Lilybée se trouvait dans le territoire dominé par les Elymes et faisait partie des intérêts politiques de Carthage.

L'expédition soutenue par Sélinonte en guerre avec Ségeste élyme échoua et Pentathlos mourut sur le champ de bataille.

Après ce désastre, les rescapés conduits par Gorgos, Thestor, et Epithersides de la famille de Pentathlos, haute aristocratie dorienne des Héraklides, se dirigèrent vers les Îles Eoliennes et débarquèrent à Lipari.

C'est bien probable que l'idée de coloniser Lipari faisait déjà partie du programme des Cnidiens comme deuxième but de leur expédition si par hasard le premier avait échoué.

Diodore nous dit qu'ils trouvèrent bon accueil de la part des indigènes qui les invitèrent à partager avec eux leur île, à s'y établir et à les défendre des incursions des pirates Tyrrhéniens.

Ces indigènes étaient environ cinq cents et se disaient être les descendants d'Eole.

Bientôt après, les colons de Lipàra équipèrent une flotte pour combattre les Etrusques qui exerçaient la piraterie dans la mer Thyrrénienne. Ils se divisèrent entre eux le travail: les uns cultivèrent les terres, tandis que les autres combattaient les pirates. Ils gardèrent en commun leurs propriétés et partageant leurs repas, ils établirent pour un certain temps un vrai régime militaire.

Plus tard à Lipari, ils se divisèrent les terres cultivables mais celles des îles mineures restèrent en société.

Ils remportèrent enfin de nombreuses victoires sur les Etrusques et consacrèrent à Delphes la dîme de leur butin.

Les Cnidiens s'établirent sur l'acropole de Lipari, sur cette place forte entourée de hautes falaises qui constituait une vraie forteresse naturelle et qui avait été, pendant des millénaires le siège des habitats préhistoriques, du Néolithique à la fin de l'Âge du Bronze.

Après la grande destruction qui mit fin à l'Ausonien II et que nous pouvons dater entre la fin du Xème et la moitié du IXème siècle av. J.- C., l'acropole était restée déserte.

---

(1) J. BÉRARD, **La colonisation grecque de l'Italie méridionale et de la Sicile dans l'antiquité,** Paris, 1957, p. 257 ss.; V. MERANTE, **Pentatlo e la fondazione di Lipari,** *Kokalos,* XIII, 1967, p. 88-104.

Probablement les rescapés n'étaient pas assez nombreux pour défendre la forteresse et préférèrent habiter sur les hauts plateaux.

Lors de nos fouilles nous n'avons trouvé aucune trace archéologique de ces deux siècles et demi ou trois, c'est-à-dire entre la grande destruction de l'Ausonien II et l'arrivée des Grecs.

Nous ne pouvons attribuer à cette période qu'un seul fragment de kotyle protocorinthien daté des premières décennies du VIIème siècle av. J.- C., trouvé par E. Ciabatti au fond de la mer. Il faisait partie de la décharge portuaire de Pignataro di Fuori, dans la baie de Lipari.

Ce fragment nous prouve que les Grecs naviguaient autour des îles bien qu'elles étaient peu habitées.

De la ville du VIème siècle nous avons très peu de restes.

Le seul gros témoignage est le grand bothros d'un probable sanctuaire d'Eole que nous avons eu la chance de découvrir sur l'acropole. Ce bothros contient des matériaux qui vont de la première moitié du VIème à la deuxième moitié du Vème siècle av. J.- C. (2)

Nous avons aussi sur l'acropole des couches qui contiennent des poteries de cette époque.

Très vite la ville se développe, la surface de l'acropole devient trop étroite et l'habitat gagne les pentes du rocher vers la plaine.

Dans nos fouilles de 1954 nous avons trouvé au pied de la pente, au coeur même de la ville moderne,une grande muraille en appareil polygonal qui, selon toute vraisemblance, doit être considérée comme une partie de la première enceinte des murs de la ville. (3)

Cette muraille a pu être datée avec assez de précision aux environs de 500 av. J.- C. Nous y reviendrons plus loin.

Successivement la ville s'est encore développée jusqu'aux limites de la ville moderne («contrada Diana») entre la fin du Vème et le début du IVème siècle av. J.- C.

On a bâti alors une deuxième fortification que nous avons mise au jour en 1970, (4) sur une longueur de plus de 50 mètres, tandis que des sondages effectués quelques années après ont permis de retrouver une autre partie du tracé de cette muraille vers le Sud.

---

(2) L. BERNABÒ-BREA, M. CAVALIER, **Il Castello di Lipari e il Museo archeologico eoliano**, Palermo, 1977, p. 90.

(3) ID, EAD, **Meligunìs-Lipàra I. La stazione preistorica della contrada Diana e la necropoli protostorica di Lipari**, Palermo, 1960, p. 100-101, pl. XXIX, 2, 3.

(4) M. CAVALIER, **Mura greche e aggere romano scoperti a Lipari**, *Magna Graecia*, a. VII, n° 7-8, Luglio-Agosto 1972, pp. 7-8.

Cette nouvelle enceinte barrait la plaine de Diane, suivait ensuite le cours de deux torrents et rejoignait les deux côtés de l'acropole.

Ensuite commençait la nécropole qui s'étendait dans toute la plaine de Diane jusqu'au pied de la montée vers les hauts plateaux.

De cette nécropole, entre 1948 et 1984, nous avons fouillé plus de 2000 tombeaux qui s'échelonnent chronologiquement de la fondation de la Lipàra cnidienne jusqu'à la fin du monde ancien. (5)

Encore hors des murailles, à l'extrémité Sud de la plaine de Diane, en 1956, nous avons mis au jour les traces d'un sanctuaire qui était certainement en rapport avec les cultes funéraires et la nécropole (Terreno Maggiore).

Il n'y avait pas un temple, mais un autel du IVème siècle qui se superposait aux restes d'un autel plus ancien daté du Vème siècle av. J.- C.

Les amphores grecques que nous allons étudier proviennent de quatre gisements:
— La nécropole grecque de la «contrada Diana»
— Le bothros d'Eole sur l'acropole de Lipari
— La décharge au pied du mur polygonal de Piazza Monfalcone
— Le sanctuaire du «Terreno Maggiore», décharge de remblayage pour niveler le sol avant la construction de l'autel du IVème siècle avant J.-C.

Nous commencerons par les amphores trouvées dans la nécropole car elles sont en meilleur état de conservation, souvent entières.

Ceci nous permettra ensuite de mieux identifier les fragments des autres gisements pouvant les rapprocher des exemplaires entiers déjà connus.

---

(5) L. BERNABÒ-BREA, M. CAVALIER, **Meligunìs-Lipàra II. La necropoli greca e romana nella contrada Diana,**Palermo, 1965, p. 1-380.

La nécropole de la «contrada Diana»

En grandes lignes, nous avons déjà délimité sa position topographique, entre le torrent de Santa Lucia au Nord, le Vallone Ponte au Sud, les murailles de la ville à l'Est et la base de la montée vers les hauts plateaux à l'Ouest.

Plusieurs groupes de tombes ont été identifiés au Sud, au delà du Vallone Ponte jusqu'à la plage de Portinente, mais nous savons assez peu de ces groupes isolés.

Des 2000 tombes déjà fouillées les 500 premières on été publiées dans *Meligunìs-Lipàra II* (1). Des autres, nous avons présenté uniquement les pièces de grand intérêt (2), tandis que la publication de tout le complexe est en cours. Les principaux types de sépulture qui intéressent l'époque que nous étudions sont les suivants:

1) Des sarcophages en terre cuite assez lourds faits d'une seule pièce, en forme de baignoire à large bord supérieur, plat. C'est un type qui rappelle de très loin, pour sa forme (certainement pas pour la décoration), ceux de Clazomène. Leur couvercle en forme de skaphe est fait aussi d'une seule pièce.

Plus tard à la fin du VIème, on passe à un type plus économique en forme de petite malle («bauletto») formée de deux parties qui s'encastrent l'une dans l'autre, munie de couvercle en demi-cylindre divisé en deux.

2) Des sarcophages lithiques en blocs de latite-andésite rouge provenant des carrières du Monte Rosa, à peine ébauchés à l'extérieur, mais bien travaillés, polis à l'intérieur et sur les bords.

3) Des sarcophages construits en briques crues couverts de blocs en pierre du Monte Rosa identiques à ceux des sarcophages lithiques dont nous venons de parler.

4) Très rarement, mais dès le VIème siècle apparaît le type de la tombe «a cappuccina» formé de 3 ou 4 couples de tuiles, scellés au sommet par des *kalypteres,* et aux côtés par de l'argile crue.

Toutes ces tombes ont un mobilier à l'extérieur. Au VIème siècle on se limite à déposer quelques petits vases, sans protection, appuyés à l'angle Sud-Ouest de la sépulture.

Tout de suite après, déjà au cours du Vème siècle, le mobilier est contenu dans un grand vase toujours déposé dans la même position par rapport au sarcophage.

Ces grands vases sont souvent de petits *pithoi,* des *stamnoi* de fabrique locale, des cratères et des *stamnoi* importés de fabriques corinthienne ou lakonienne: ces derniers toujours à vernis noir. Quelquefois, un petit vase, un lécythe se trouve alors à l'intérieur, toujours près de la tête.

---

(1) **Meligunìs-Lipàra II,** *op. cit.*

(2) L. BERNABÒ-BREA, **Menandro e il teatro greco nelle terracotte liparesi,** Gênes, 1981. M. CAVALIER, Appendice II. **Le terracotte liparesi di argomento teatrale e la ceramica. I dati di rinvenimento e la cronologia,** p. 259-309.

Le rite de l'incinération n'est pas très diffusé. Très souvent les cendres étaient contenues dans ces mêmes *pithoi* de fabrication locale et dans ces *stamnoi* locaux ou importés que nous trouvons aussi à l'extérieur des sarcophages comme protection du mobilier funéraire.

Dans beaucoup de cas les cinéraires étaient des vases de qualité bien plus noble comme par exemple des cratères figurés (malheureusement souvent cassés par des sépultures plus récentes). Plus tard, à la fin du Vème et au IVème siècle, nous trouverons des cratères à figures rouges et quelquefois des hydries de bronze.

Ces vases cinéraires plus nobles étaient presque toujours déposés dans une petite ciste lithique ou en briques crues, en général couverte de blocs à peine ébauchés.

Dans la nécropole de Lipari, les amphores sont en général utilisées pour des inhumations d'enfants, souvent des nouveaux-nés. (3)

Pour y introduire le corps, les amphores ont été quelquefois volontairement sciées. Le plus souvent on a détaché la partie inférieure de l'amphore qui a été remise à sa place après l'inhumation pour boucher la lacune.

Dans d'autres cas l'amphore a été coupée longitudinalement au ciseau et parfois la lacune a été bouchée par le fragment d'un autre vase. Quelquefois on avait pu introduire le petit enfant sans casser l'amphore et c'est le cas de la tombe 2082 et de la tombe 355 qui ont un trou d'écoulement sur la panse.

Un tout petit nombre d'amphores contenait les restes d'incinérations.

Deux amphores de type chiote faisaient partie du mobilier funéraire, déposées à l'angle Sud-Ouest des tombes à inhumation 418 et 424. (pl. I)

Toutes ces amphores qui servaient de tombes à inhumation d'enfants, et quelquefois à incinération, avaient été déposées à un niveau bien plus haut (environ 1 m 20-1 m 50) par rapport aux sarcophages, qui, eux, étaient toujours à 3 ou 4 mètres de profondeur.

C'est sans doute la raison pour laquelle elles ont été bien plus exposées aux nombreuses destructions dues soit aux travaux agricoles, soit aux divers remaniements du terrain qui n'ont pas atteint les sarcophages.

Ces derniers n'ont souffert que des réutilisations à l'époque romaine car souvent, même les plus profonds et les plus anciens ont été violés, vidés et réutilisés pour de nouvelles inhumations.

Mais de nombreuses amphores du VIème-Vème siècle av. J.- C. ont été détruites par des tombes d'époque plus récente comme par exemples les tombes «a cappuccina» de la fin de l'époque hellénistique ou romaine et les tombes formées de murs en pierre sèche du début de l'empire.

---

(3) Pour de semblables inhumations d'enfants voir les nécropoles siciliennes de Megara Hyblaea et de Camarine: M. CÉBEILLAC-GERVASONI, **Les nécropoles de Megara Hyblaea**, *Kokalos,* XXI, 1975, p. 35; P. PELAGATTI, **Nuovi dati sui riti funebri a Camarina,** *Sicilia Archeologica,* IX, 30, 1976, p.37-49.

Les fragments d'amphores que nous trouvons dans le terrain en sont la preuve, bien que nous ayons noté qu'à Lipari, au cours du IVème-IIIème siècle avant J.- C., on avait un certain respect pour les tombes.

Lorsqu'en creusant une fosse pour y insérer une nouvelle déposition, on rencontrait une amphore funéraire, on ne la détruisait pas, mais on se limitait à la déplacer ou à la remettre plus ou moins en place en ramblayant la fosse.

Les amphores funéraires de l'époque que nous prenons en considération, ont été trouvées un peu partout dans la nécropole. Mais sur 36 amphores qui nous intéressent, 14 proviennent de la fouille XXI aux marges Sud Ouest de la nécropole (fig. 1).

Ce groupe d'amphores était concentré dans la moitié Sud de la tranchée, aucune n'a été trouvée dans la partie Nord.

Elles étaient déposées horizontalement dans le terrain, quelquefois calées ou protégées d'un cercle de pierres et fermées d'une plaque ou d'un fragment de tuile, sans orientation constante.

Au-dessous de cette première couche d'amphores se trouvaient des tombes à sarcophage ou en briques crues.

Deux amphores, celle de la t. 360 et celle de la t. 354 datées du Vème siècle se superposaient à des tombes en briques crues datées de la première moitié du IVème siècle.

Il n'y a pas d'autre explication qu'un déplacement, lors d'inhumations plus récentes, de ces amphores, qui ont été ensuite remises en place.

Les amphores corinthiennes

Bibliographie:

G. V. GENTILI, **Megara Hyblaea**, *Not. Scavi,* 1954, p. 96, fig. 19, note 1.

G. VALLET, F. VILLARD, **Mégara Hyblaea, 2. La céramique archaïque**, Paris, 1964, p. 50, pl. 33, 1-3.

G. KAPITAEN, **Il relitto corinzio di Stentinello nella baia di S. Panagia (Siracusa). Ricerche 1974 e 1975 e osservazioni sulla formazione del relitto**, *Sicilia Archeologica,* 30, Aprile 1976, p. 87-103, fig. 3-5.

C. G. KOEHLER, **Corinthian A and B Trasport Amphoras**, diss. Princeton University, 1978; EAD., **Corinthian Developments in the study of Trade in the fifth century**, *Hesperia,* vol. L; fasc. 4 p. 449-458

M. C. LENTINI, **Camarina VI. Un pozzo tardo arcaico nel quartiere Sud Orientale**, *Boll. Arte,* n° 20, Luglio -Agosto 1983, fig. 15, fig. 17 et pag. 22-23.

Cat. 1

Partie supérieure d'une amphore corinthienne détruite par des tombes plus récentes comprenant la bouche, le col et une seule anse.

Col haut cylindrique, la bouche est entourée d'un large bord plat à disque, plus épais que celui de l'amphore **cat.3**, à section légèrement concave.

L'anse est massive, à section ronde.

La pâte, de couleur claire rosée (M.S.C. 5 YR 7/4), contient de gros dégraissants blancs et noirs. La surface est entièrement recouverte d'un engobe couleur jaunâtre d'argile diluée passé au pinceau (M.S.C. 5 YR 7/6).

La paroi est très épaisse: de mm 90 vers la panse à cm. 2 vers le col

H. col cm. 15, 2

D. max. embouchure cm. 22, 8

H. du rebord cm. 3, 2

INV. n° 15031

Ière moitié VI s. av. J.-C.

L'amphore est très proche du type A de C. Koehler; elle en diffère uniquement pour son rebord un peu plus épais.

Inédite

Tombe à incinération dans une amphore corinthienne, déposée horizontalement dans le terrain, calée par plusieurs pierres; une plus grosse soutenait la bouche.

Tout autour de l'amphore une petite couche de sable.

Cat. 2

L'amphore à panse sphérique, ovoïde, a un col cylindrique moins haut que celui de l'exemplaire t. 356. La bouche est entourée d'un large bord incliné. Les anses sont massives, à section ronde, le fond se termine par un bouton court et large.

La pâte de couleur claire rosée (M.S.C. 7, 5 YR 7/4) est dure, à fracture nette, contient des dégraissants assez gros (mm. 3 à 7) de couleur rouge et blanc. La surface externe est entièrement revêtue d'un engobe d'argile diluée de couleur claire (M.S.C. de 10 YR 7/4 à 7/5 YR) étalé au pinceau.

H. tot. cm. 64, 4

D. max. embouchure cm. 21, 2

D. max. panse cm. 49, 6

H. col cm. 14, 8

H. pied cm. 4

INV. n° 2287

Amphore corinthienne type A de C. Koehler daté du début du Vème siècle av. J.-C.

Bibliographie: **Meligunìs-Lipàra II**, p. 129, pl. XLI, 1; C. Koehler, **Corinthian Developments**, p. 456, note 27; EAD., **Corinthian A and B Transport Amphoras**, 1978, p. 104, n° 35, pl. 6.

Tombe 356   Tr. XXI/1954   (fig. 2 a; pl. II a).

Tombe à incinération dans une amphore qui faisait partie du groupe compact de la fouille XXI (fig. 1).

Cat. 3

Amphore à panse sphérique, col haut cylindrique. La bouche est entourée d'un large bord plat à disque. Les anses sont massives, à section ronde, le fond est à bouton cylindrique. La pâte de couleur claire rosée (M.S.C. 5Y 7/4) est consistante, fine malgré de gros dégraissants blanc et noir.

La surface est entièrement revêtue d'un engobe d'argile diluée de couleur identique à celle de la pâte, passé au pinceau.

Sur l'épaule est incisé le signe reproduit à la fig. 2.

H. tot. cm 66

D. max. embouchure cm. 22, 4

D. max. panse cm 46.

H. col 16, 8

H. pied cm. 6 8

INV. n° 916

Amphore corinthienne type A de C. Koehler daté du début du Vème siècle av. J.-C.

Bibliographie: **Meligunìs-Lipàra II**, p. 129, pl. XLI, 3; **Corinthian Developments**, *op. cit.*, pl. 98, g.

Tombe 1062   Tr. XXXI/1972   (Fig. 3 b; pl. IV f)

Tombe à inhumation dans une amphore corinthienne incomplète, couchée horizontalement dans le terrain, orientée au Sud, fermée d'une plaque lithique (cm. 30x35,2)

L'amphore était fragmentaire à l'origine et de nombreux fragments d'un gros pithos bouchaient la lacune.

Sur le fond de l'amphore des traces de l'inhumation.

Cat. 4

L'amphore n'a pu être restaurée, mais la partie supérieure comprenant la bouche, le col et le début de l'épaule est bien conservée.

Col cylindrique, large bord plat à disque, les anses sont massives à section ronde.

Argile de couleur claire rosée (M.S.C. 5 YR 7/4), qui contenait de gros dégraissants blancs et noirs, fine, dure, avec quelques vacuoles.

La surface est entièrement revêtue d'un engobe d'argile diluée de couleur jaunâtre (M.S.C. 7,5 YR 8/4), passé au pinceau.

H. col cm. 14, 8
D. max embouchure cm. 21, 4
H. rebord cm. 1,8
Epaisseur de la paroi cm. 1, 8
INV. n° 9680
Datation: environ 450 av. J.-C.
Inédite

C'est une amphore du type A de C. Koehler.

Bibliographie: **Corinthian Developments,** *op. cit.,* pl. 98, h.

Tombe 1102   Tr. XXXI Est/1970   (Fig. 4 a; pl. III a)

Au Sud de la tombe 1107 en briques crues, très près de son mobilier funéraire qui l'avait écrasée, une amphore corinthienne déposée horizontalement dans le terrain, orientée à l'Ouest, constituait une sépulture à incinération.

Cat. 5

L'amphore à panse ovoïde a un col cylindrique haut, peu dégagé. La bouche est entourée d'un large bord incliné, de section triangulaire. Les anses sont massives, à section ronde, le fond se termine par un bouton court et large.

La pâte, de couleur claire (M.S.C. 10 YR 7/4) qui contient de gros dégraissants (mm. 3x7) grenat, est très consistante.

La surface externe est recouverte d'un engobe d'argile diluée de couleur rosâtre (M.S.C. 10 YR 7/4 à 7/6 YR) étalé au pinceau.

H. tot. cm. 70
D. max. embouchure cm. 18
H. col cm. 14, 4
D. max. panse cm. 44
D. col haut cm. 11, 2
       bas cm. 8, 8
H. pied cm. 4.
INV. n° 10535
Inédite

C'est le type A' de C. Koehler pl. 99, g.
Le même type se retrouve dans la nécropole de Megara Hyblaea.

Tombe 353   Tr. XXI/1954   (Fig. 4 b; pl. III b-c)

Elle fait partie du groupe d'amphores trouvé dans la fouille XXI. Amphore corinthienne couchée horizontalement dans la terre, incomplète parce que sciée volontairement; le trou avait été bouché par le fond pointu d'une autre amphore.

A l'intérieur de l'amphore, où était inhumé un enfant, il y avait deux petits vases: (Pl. III c)
— une patère apode, d'argile jaunâtre (h. 3, 9; D. 11, 1)
— un vase plastique en forme de poisson (l. 11, 8)

Cat. 6

L'amphore a une panse ovoïde, un col haut étranglé vers le milieu, l'embouchure est entourée d'un large rebord incliné à section triangulaire.

Les anses sont massives, à section ronde, le fond est cassé mais devait être identique à celui de l'exemplaire 1102.

Sur la panse un signe cruciforme incisé (fig. 4).

La pâte de couleur claire rosée (M.S.C. 10 YR 7/4) est très dure, à fracture nette, contient des dégraissants assez gros de couleur grenat et blanc.

La surface externe est entièrement recouverte d'un engobe d'argile diluée de couleur M.S.C. 10 YR 7/4 à 7/6 YR étalé au pinceau.

H. tot. cm. 63, 2

D. max embouchure cm. 18,4

D. max. panse cm. 43, 2

H. col cm. 15, 2

INV. n° 913

Bibliographie: **Meligunìs-Lipàra II,** p. 128, pl. XLI, 2; mobilier funéraire pl. XLI, 5 et pl. XLIII, 2; **Corinthian Developments,** p. 456, note 28.

Tombe dévastée   Tr. XXXV/1973   (Fig. 3 c; pl. IV c)

Cat. 7

Partie supérieure d'une amphore corinthienne comprenant le col, la bouche et une anse, la deuxième étant incomplète.

La bouche est entourée d'un rebord (ou lèvre) large, facetté, de section triangulaire, qui se déforme légèrement pour épouser l'attache supérieure de l'anse qu'elle recouvre, tombant vers l'extérieur.

Les anses sont massives, à section ronde, se rétrécissant vers le bas. Col cylindrique haut, bien détaché de l'épaule.

La pâte de couleur claire, blanc-rosé, (M.S.C. 10 YR 8/2) est dure, consistante, à fracture nette; elle contient de gros dégraissants blanc, noir et grenat.

La surface est revêtue d'un engobe d'argile très diluée passé au pinceau de la même couleur que la pâte.

H. tot. conservée cm. 18, 2

D. max. embouchure cm. 18

H. col cm. 16, 6

H. rebord cm. 3, 4

INV. n° 15032

Inédite

Dans les exemplaires de la t. 1410 et de la tombe dévastée inv. 15032, nous notons une évolution bien marquée du bord qui, dans les amphores précédentes, t. 353 et 1102, était de section triangulaire moins large et de ce fait moins tombant.

Tombe 1410 Tr. XXXIII/1972 (Fig. 3 d et pl. IV b.)

Cat. 8

Amphore corinthienne déposée horizontalement dans le terrain, orientée au Nord, protégée par une couronne de pierres.

Ecrasée, incomplète, elle a été dévastée par une tombe plus récente du type à «cappuccina» qui s'était implantée au-dessus.

Le fond a été volontairement scié et le trou bouché par des fragments d'un vase différent.

Tandis que la panse sphérique est mal conservée, la partie supérieure est complète. Haut col cylindrique, la bouche est entourée d'un rebord (ou lèvre) de section triangulaire encore plus large que celui de l'exemplaire précédent, facetté, tombant vers l'extérieur.

Des deux côtés, en rapport avec les attaches des anses, ce rebord se déforme pour épouser la courbure de l'anse.

Les anses sont massives, de section ronde et se rétrécissent vers l'épaule.

La pâte est de couleur claire, rosé (M.S.C. 7, 5 YR 7/6) dure, à fracture nette, contient des dégraissants blanc, noir, grenat.

La surface est revêtue d'un engobe d'argile très diluée de couleur rosée, passé au pinceau (M.S.C. 7, 5 YR 7/4).

H. tot. cm. 28
D. embouchure cm. 19, 2
H. col cm. 18
H. rebord cm. 4, 6
INV. n° 10912
Inédite

Bibliographie. Le même type d'amphore a été trouvé en Sicile: G. KAPITAEN, **Il relitto corinzio di Stentinello nella baia di S. Panagia (Siracusa)**, *Sicilia Archeologica,* 30, IX, Aprile 1976, p. 91, fig. 4, 5.

Tombe 1267   Tr. XXXI/1971   (Fig. 4 c; pl. IV a, e)

Au-dessus du sarcophage lithique en pierre du Monte Rosa bien daté du début du Vème siècle av. J.-C., une amphore corinthienne, très bien conservée, était déposée horizontalement dans le terrain sans protection, calée par de petites pierres et hermétiquement fermée par une plaque lithique (cm. 15x18, 2).

A l'intérieur de l'amphore les ossements d'un tout petit enfant (nouveau-né).

Cat. 9

Amphore à panse ovoïde parfaitement régulière, col très court; la bouche est entourée d'un bord de section triangulaire; le fond se termine par un petit bouton.

Les anses sont de section ovale, appliquées tout de suite au-dessous du bord, elles déforment légèrement la bouche.

La pâte de couleur claire rosée (M.S.C. 5 YR 7/4) contient des inclusions non visibles à l'oeil nu.

La surface est revêtue d'un engobe à vernis dilué couleur rougeâtre passé délicatement au pinceau (M.S.C. 7/6).

Une bande irrégulière à vernis dilué marron plus foncé décorait la base du col de l'amphore.

    H. tot. cm. 52, 4
    D. max. embouchure cm. 16
    D. max. panse cm. 35, 6
    H. col cm. 11, 6
    D. bouche de cm. 15, 9 à cm. 17, 2
    INV. n° 10757
    Inédite

Amphore corinthienne B de C. Koehler datée de la moitié du Vème siècle av. J.-C.

Les amphores de type massaliète

Bibliographie:

F. Villard, **La céramique grecque de Marseille, VI-IVème siècle**, Paris, 1960.

I. Tamburello, **Palermo. - Necropoli: campagna di scavo 1967**, *Not. Scavi,* vol. XXIII, 1969, tomba 3, fig. 7a, p. 310; tomba 4 fig. 16, p. 312; ead., **Prodotti ceramici di Palermo arcaica**, *Sicilia Archeologica,* 6, 1969, p. 41, fig. 5.

A. Nickels, **Les amphores préromaines**, *Le courrier archéologique du Languedoc Roussillon,* n° 9, 1981, fig. 1 n° 4. Les amphores de type massaliète sont nombreuses en Sicile: à Megara Hyblaea G. V. GENTILI, **Megara Hyblaea (Siracusa) - Rinvenimenti e reperti sporadici nella prop. della «Rasiom» e tomba arcaica in predio Vinci**, *Not. Scavi,* 1954, p. 97, fig. 21, 1 tombe H; G. VALLET, F. VILLARD, **Megara Hyblaea 2. - La céramique archaïque**, Paris, 1964, p. 89, type III, pl. 77, 3.

M. PY, **Quatre siècles d'amphores massaliètes. Essai de classification des bords**, *Figlina,* 3, 1978, p. 1-23;

G. BERTUCCHI, **Les amphores de Marseille grecque (600-200 avant J. C.). Identification, typologie, chronologie, importance économique.** Thèse de 3ème cycle dactylographiée, Aix en Provence, 1979.

Tombe 357   Tr.XXI/1954   (Fig. 5 b; pl. V a).

Elle fait partie avec les six suivantes du petit groupe de tombes trouvé dans la tranchée XXI. (fig. 1).

Tout près de la tombe 356 (amphore corinthienne), il y avait une autre amphore de type massaliète, orientée au Nord, sans aucune protection.

Cat. 10

Amphore en toupie, à large épaule et col plutôt court cylindrique. La pâte est jaune clair (M.S.C. 10 YR 8/2), caractérisée par un dégraissant micacé, abondant, mélangé à du sable noir. Elle a un rebord à bourrelet obtenu par le repliement de la paroi du col vers l'extérieur. Listel peu marqué.

H. tot. cm. 52, 5

D. max embouchure cm. 38

D. max. cm. 12

H. col haut cm. 10, 8

      bas cm. 10

H. pied cm. 1, 2

INV. n° 917 Reconstruite à partir de nombreux fragments.

Bibliographie: **Meligunìs-Lipàra II**, p. 129, pl. XLI, 6.

A l'Ouest de la précédente, une amphore analogue était déposée horizontalement dans le terrain, orientée au Nord, sans aucune protection, écrasée par le poids du terrain.

Cat. 11

L'amphore est en forme de toupie à large épaule et à col plutôt cylindrique. La pâte est de couleur jaune blanchâtre (M.S.C. 10YR 8/3) caractérisée par un dégraissant micacé assez abondant et de minuscules particules de sable noir.

Rebord à bourrelet obtenu par le repliement vers l'extérieur de la paroi du col. La base du rebord est soulignée par un listel bien marqué.

    H. tot. cm. 56, 7

    D. max. embouchure cm. 15, 6

    D. max. panse cm. 40

    H. col cm. 12, 4

    D. col: haut cm. 11, 6

           bas cm. 12

    INV. n° 918

Bibliographie: **Meligunìs-Lipàra II**, p. 129, pl. XLI, 4.

Elle fait encore partie du petit groupe de tombes trouvées dans la tranchée XXI.

A l'Ouest de ce groupe, déposée horizontalement dans le terrain, orientée au Sud, calée par de nombreuses pierres, une amphore de type massaliète constituait une sépulture à incinération.

Très abîmée par la pression de la terre et par les travaux agricoles, l'amphore n'est pas entière.

Cat. 12

Identique à l'exemplaire de la tombe 357, elle est en forme de toupie à large épaule et à col cylindrique court. Rebord à bourrelet moins massif que celui de l'amphore 358 et listel peu marqué.

La pâte est jaune blanchâtre (M.S.C. 10 YR 8/2) à dégraissant micacé mélangé à de minuscules grains de sable noir.

H. tot. conservée cm. 59, 5

D. max. cm. 12

D. max panse cm. 37, 7

H. col cm. 12

INV. n° 919

Bibliographie: **Meligunìs-Lipàra II,** p. 129.

Tombe 360	Tr. XXI/1954	(Pl. VI d; fig. 6 b)

Un peu plus au Nord du même groupe d'amphores, une autre tombe à incinération dans une amphore de type massaliète, orientée au Nord, calée et bouchée par des petites pierres.

Cat. 13

Amphore en forme de toupie à col cylindrique court. Rebord à bourrelet identique à celui de l'exemplaire de la tombe 359 et listel peu marqué (creux moins important).

La pâte est jaunâtre (M.S.C. 10YR 8/3) à dégraissant micacé abondant mélangé à du sable noir.

L'amphore, reconstruite à partir de nombreux fragments, est incomplète, mais fournit un profil entier.

H. tot. conservée cm. 54, 5

D. max. embouchure cm. 14, 5

D. max. panse cm. 38

H. col cm. 12, 2

INV. n° 920

Bibliographie: **Meligunìs-Lipàra II,** p. 129, pl. XLI, 7.

Tombe 361   Tr. XXI/1954   (Pl. VI, b; fig. 7 b)

A l'Ouest de la précédente, une amphore identique, calée par de petites pierres, orientée vers l'Ouest.

Cat. 14

Amphore en toupie à col cylindrique court. Elle a un rebord à bourrelet obtenu par le repliement vers l'extérieur de la paroi du col qui laisse subsister à l'intérieur du rebord un creux. Listel peu marqué.

La pâte est de couleur jaune clair (M.S.C. 10 YR 8/2) et contient de petites écailles de mica et des particules de sable noir.

Sur le col quelques traces de peinture rouge.

Restaurée et incomplète.

H. tot. conservée cm. 53, 5

D. max. embouchure cm. 13

D. max. panse cm. 39

H. col cm. 13

INV. n° 921

Bibliographie: **Meligunìs-Lipàra II,** p. 129, pl. XLI, 9.

Restes d'une tombe dévastée   Tr. XXI/1954   (Fig. 5 c; pl. V d)

Cat. 15

Partie supérieure d'une amphore de type massaliète comprenant la bouche, le col, le début de l'épaule et une anse.

Col cylindrique, le bord est à profil bombé obtenu par le repliement de la paroi du col vers l'extérieur. Ce bourrelet est souligné par un listel arrondi à peine marqué qui s'efface progressivement.

La pâte est de couleur chamois clair (M.S.C. 7, 5 YR 8/4) caractérisée par de nombreuse paillettes de mica, de minuscules grains de sable noir et de gros nodules rouges.

Sur le col, près de l'anse conservée, il y a un signe incisé (pl. V e).

H. tot. conservée cm. 11, 8

D. max. cm. 14, 4

D. col: haut cm. 10
       bas cm. 11
INV. n° 15033
Inédite

Restes d'une tombe dévastée   Tr. XXI/1954   (Pl. VI c; fig. 7 c)

Cat. 16

Partie supérieure d'une amphore de type massaliète comprenant la bouche, le col, le début de l'épaule et une anse.

Le col est plutôt court, cylindrique. Le bord à bourrelet est moins massif que celui de l'exemplaire précédent inv. 15033, souligné par un listel bien marqué qui s'interrompt à l'emplacement des deux anses. La paroi est plutôt mince.

La pâte, de couleur jaune clair (M.S.C. 10 YR 8/3), contient de nombreuses paillettes de mica et de minuscules grains de sable noir.

H. tot. conservée cm. 16, 7
D. max. bouche cm. 15, 2
D. col cm. 8,5
INV. n° 15036
Inédite

Restes d'une tombe dévastée   Tr. XXXI/1971   (Pl. V c; fig. 6 a)

Cat. 17

Amphore incomplète: il manque la moitié du col, du rebord et une petite partie de l'épaule.

Elle est petite, en forme de toupie, à col cylindrique, court.

Le rebord à bourrelet a la base soulignée par un listel bien marqué comme dans l'exemplaire de la tombe 358.

La paroi est plutôt mince et la panse est un peu déformée.

A cet endroit on note des empreintes très régulières de quelque chose qui a pressé l'amphore.

La pâte est jaune clair (M.S.C. 10 YR 8/2), caractérisée par un dégraissant très micacé (toutes petites écailles) mélangé à du sable noir.

H. tot. conservée cm 54, 4
D. max. embouchure cm. 14, 4
D. max. panse cm. 36
H. pied cm. 4
INV. n° 15034

Elle se rapproche du type plus ancien: Bertucchi type I

Tombe 2089   Tr. XXXVI/K/84   (pl. VI, e; fig. 7 a)

Au-dessus du sarcophage lithique construit en blocs du Monte Rosa il y avait une petite amphore déposée horizontalement dans le terrain, orientée au NE, sans aucune protection.

Cat. 18

L'amphore est incomplète, de type massaliète, sans rebord, en forme de toupie, à col cylindrique, plutôt court.
La pâte est jaune clair (M.S.C. 10 YR 8/2) très micacée et contient de toutes petites particules de sable noir. La paroi est mince, fracture très nette.
L'amphore, très cassée, a pu être en partie restaurée.

H. conservée cm. 56
D. max. panse cm. 38
INV. n° 15043

Tombe 1341   Tr. XXX/1970

Inhumation d'enfant dans une amphore dont la partie supérieure a été volontairement sciée, déposée horizontalement dans le terrain orientée à l'Est, entourée de pierres.

Cat. 19

Amphore en forme de toupie à épaule large, cassée à la base du col; elle conserve d'un seul côté l'attache inférieure d'une des deux anses.

La pâte jaune clair contient de fines paillettes de mica (M.S.C. 10 YR 7/2) et de minuscules inclusions de sable noir; elle est fine, très dépurée, à fracture nette.

H. tot. conservée cm. 40

D. max. panse cm. 53

H. pied cm. 2, 2

INV. n° 9139

Inédite

Les amphores de type chiote

Bibliographie:

G. VALLET, F. VILLARD, **Megara Hyblaea 2. La céramique archaïque**, Paris, 1964, pl. 71, p. 83, type II.

V. TUSA, **Mozia VII, lo scavo del 1970**, Rome, 1972, p. 20, pl. XV.

R. M. BONACASA, E. JOLY, **Himera II**, 1976, Isolato II p. 167, pl. XXV, 1.

G. PURPURA, **Nuove anfore nell'antiquarium di Terrasini**, *Sicilia Archeologica* n° 35, a. X, 1977, p. 54, fig. 1; ID., et A. BARBIERI, **Un giacimento archeologico in acque profonde nel canale di Sicilia**, *Sicilia Archeologica*, a. X, 34, 1977, p. 54, figg. 2-8.

R. CAMERATA SCOVAZZO-G. CASTELLANA, **Palermo, Necropoli punica, scavi 1980. Notizie preliminari**, *Beni Culturali e Ambientali Sicilia*, Nr 1-2, 1981, p. 43 ss.; fig. 18, 19.

Nous verrons plus loin que cette catégorie d'amphores se divise en deux variantes: la première à pâte de couleur jaune clair sans engobe, la seconde à pâte rouge toujours revêtue d'un engobe.

Dans la nécropole nous n'avons que des exemplaires de la deuxième variante.

Tombe 3   Tr. I-IV 1950

Cat. 20

Amphore déposée horizontalement dans le terrain, orientée au SE sans aucune protection. Inhumation d'enfant.

L'amphore est à panse cordiforme, col haut, bombé, peu dégagé de la panse, rebord à bourrelet sans listel à la base.

La pâte est faite d'une argile dépurée de couleur rougeâtre (M.S.C. 5 YR 6/3). Engobe externe uniforme sur toute la surface, de couleur blanchâtre (M.S.C. 10 YR 8/2-8/3).

L'amphore a été cassée volontairement, sciée dans le sens de la longueur. Il en manque plus de la moitié.

H. tot. conservée cm. 60, 5

D. max. embouchure cm. 12, 4

D. max. panse cm. 40 env.

INV. n° 147.

Bibliographie: **Meligunìs-Lipàra II,** fig. 1, p. 5

Tombe 225   Tr. XII/1952   (Pl. XII, c)

Amphore déposée horizontalement dans le terrain sans aucune protection, orientée au Nord, bouchée d'une pierre plate.

Elle constituait l'inhumation d'un enfant tout petit et le col avait été cassé (les coups de ciseau sont très visibles) et bouché par des fragments d'un autre vase.

Cat. 21

L'amphore est à panse cordiforme, col renflé, la base du rebord est soulignée par un listel bien marqué.

On note une remontée tronconique de l'épaule qui donne à l'amphore une allure allongée.

La pâte est faite d'une argile dépurée qui contient des inclusions invisibles à l'oeil nu; elle est de couleur rougeâtre (M.S.C. 5 YR 6/4), dure, à fracture nette. La surface externe est de même couleur que la pâte, revêtue d'un engobe blanc, bien conservé seulement dans la partie supérieure de l'amphore.

H. tot. conservée cm. 63

D. max. embouchure cm. 13 environ

D. max. panse cm. 41

H. col cm. 22

INV. n° 337

Bibliographie: **Meligunìs-Lipàra II,** p. 75.

Un peu différente de toutes les autres tombes de la nécropole de la «contrada Diana», la tombe 398 était double, formée d'un grand sarcophage de pierre provenant des carrières du Monte Rosa, auquel s'en ajoutait un autre, monolithe renversé.

A la première déposition qui occupait l'intérieur du sarcophage appartenait un groupe de vases: (pl. IX c)
— Une pyxis skyphoïde attique, sans couvercle (H. 10, 4; D. 14, 8)
— Un lécythe attique à vernis noir (H. 12, 3)
— Un alabastron d'albâtre mal conservé
— Un strigile en bronze (L. 28, 2).

A l'extérieur, près du sarcophage il y avait un deinos d'argile à large bord (H. 53, 3; Db. 34) qui contenait
— Une kylix attique à vernis noir (H. 6, 5; D. 12, 4)

En contact avec le deinos se trouvait une amphore qui faisait partie du mobilier funéraire.

Cat. 22

— L'amphore à panse cordiforme à haut col renflé. La base du rebord est soulignée par un listel bien marqué.

La pâte de couleur rougeâtre (M.S.C. 5 YR 6/3) est consistante, à fracture nette. Les inclusions de sable noir sont à peine visibles. La surface externe est de couleur rougeâtre comme la pâte. L'engobe externe est uniforme, de couleur blanchâtre (M.S.C. 10 YR 8/2-8/3); mal conservé, il s'étalait sur toute la surface, excepté le fond. L'amphore a été immergée en la tenant par le fond.

H. tot. conservée cm. 61, 6
D. max. embouchure cm. 16
D. max panse cm. 36
H. col cm. 14
D. col: haut cm. 11, 2
        bas cm. 12, 8
H. pied cm. 1, 2
D. pied cm. 4, 8
INV. n° 2293

Le mobilier funéraire associé à l'amphore appartient à la première moitié du Vème siècle av. J.-C.

Bibliographie: **Meligunìs-Lipara II,** p. 140-141; pl. LII, 1; LIII, 1 et p. 209.

Tombe 349   Tr. XXI/1954   (Fig. 8 b; pl. X c, d; pl. XI a)

Elle fait partie du groupe concentré dans la moitié Sud de la tranchée à la profondeur de 1m20-1m40 et se superposait à une tombe à «cappuccina» du Vème siècle av. J.-C. du type le plus ancien surmonté par des kalypteres (Pl. XI a; fig. 1).

C'est une tombe d'enfant, à inhumation. L'amphore a été volontairement cassée et la lacune comblée par les fragments d'une autre amphore.

Cat. 23

L'amphore est à panse cordiforme, col dégagé et bombé. La base du rebord est soulignée par un listel bien marqué.

La pâte est faite d'une argile rougeâtre (M.S.C. 5 YR 6/4) dure, à fracture nette, dans laquelle on aperçoit quelques minuscules inclusions de sable noir.

La surface externe est de même couleur que la pâte, bien visible là où l'engobe est tombé.

Engobe externe uniforme sauf sur le fond, de couleur blanchâtre (M.S.C. 10 YR 8/2-8/3) obtenu par immersion en tenant le vase renversé par le bouton.

Sur le col en haut est incisée la lettre A (Pl. X c)

H. tot. cm. 69, 5

D. max. embouchure cm. 16, 5

D.panse cm. 96

H. col cm. 17, 2

D. col: haut cm. 20, 9

       bas cm. 17, 3

H. pied cm. 2, 2

INV. n° 909

Bibliographie: **Meligunìs-Lipàra II,** pp. 127 e 209, pl. XLI, 8.

Tombe 349 bis   Tr. XXI/1954

Cat. 24

Immédiatement au-dessous de l'amphore t. 349 se trouvait une amphore identique, très endommagée lors de la déposition de la précédente. Traces d'incinération.

La restauration ne fut pas possible car trop de lacunes persistent.

INV. n° 909 bis

Bibliographie: **Meligunìs-Lipàra II,** p. 129.

Tombe 352   Tr. XX/1954   (Fig. 9 a)

Elle fait partie du groupe d'amphores de la tranchée XXI, déposée horizontalement dans le terrain, sans protection apparente, bouchée par une plaque lithique et
entourée de gravillon (fig. 1).
Aucun mobilier funéraire, traces d'une inhumation d'enfant.

Cat. 25

L'amphore est à panse cordiforme, col dégagé et renflé à la base; le rebord à
profil facetté est massif, l'épaule remonte vers le col et donne à l'amphore une allure
plus allongée.
La pâte de couleur rougeâtre (M.S.C. 5 YR 6/3) est consistante, à fracture nette
qui permet d'individualiser de toutes petites particules de sable noir et rougé.
La surface externe est de même couleur que la pâte. Aucune trace d'engobe.
L'amphore a été restaurée, il manque la partie inférieure sciée pour y introduire
le nouveau-né.

H. tot. conservée cm. 68, 8
D. max. embouchure cm. 15, 8
D. max. panse cm. 36
H. col cm. 14, 4
D. col: haut cm. 9, 6
        bas cm. 10, 8
INV. n° 312

Bibliographie: **Meligunìs-Lipàra II,** p. 128 et 209.

Du côte Ouest par rapport à la précédente, au même niveau, une amphore couchée dans le terrain, bouchée par une plaque lithique, contenait un enfant inhumé (fig. 1).

Cat. 26

L'amphore est à panse cordiforme, col haut dégagé et enflé. La base du rebord est soulignée par un listel bien marqué.

La pâte est de couleur rougeâtre, (M.S.C. 5 YR 6/4), très dépurée, contient de minuscules inclusions de sable noir, consistante, à fracture nette.

La surface externe est de même couleur que la pâte, entièrement revêtue d'un engobe très bien conservé de couleur jaune clair ou blanc sali (M.S.C. 10 YR 8/2-8/3).

Toute la partie inférieure a été volontairement sciée pour y introduire le corps.

Sur le col, peinte en rouge, assez effacée, il y avait une lettre I.

H. tot. conservée cm. 55, 5

D. max. embouchure cm. 16, 2

D. max. panse cm. 58, 5

H. col cm. 18

D. col: haut cm. 27, 5

     bas cm. 27

INV. n° 914

Bibliographie: **Meligunìs-Lipàra II**, p. 128.

Sarcophage construit en gros blocs provenant des carrières du Monte Rosa, dans la baie de Lipari (pl. I).

A l'intérieur de la tombe, près de la tête il y avait

— un petit lécythe à vernis noir mal conservé.

A l'extérieur, à l'angle Sud-Ouest, se trouvait le mobilier funéraire composé de: (pl. XI b).

— Une amphore de type chiote et près d'elle:

— Un stamnos d'argile achrome, sur pied conique, muni d'un couvercle (H. 55, 5; Db 23, 4)

Le stamnos contenait un petit groupe de vases à vernis noir:
— Une kylix (H. 4, 5; D. 12)
— Une autre kylix plus large et basse (H. 4, 5; D. 12)
— Un skyphos ovoïde (H. 6, 4; D.9)
— Un petit guttus en forme de bouteille (H. 5, 6; Db. 5, 5)
    Près du stamnos il y avait:
— Une olpé en argile très dépurée, achrome, munie d'une anse surélevée (H. 17; D. 9, 7)
— Minuscule cruche globulaire (H. 5, 4)
    Il s'agit là d'un mobilier appartenant au deuxième quart du Vème siècle av. J.-C.

Cat. 27

L'amphore est à panse cordiforme, à col dégagé et bombé. Le rebord à bourrelet est souligné d'un listel bien marqué, les anses sont de section ovale.

La pâte est faite d'une argile de couleur rougeâtre (M.S.C. 5 YR 6/3), d'une certaine consistance. Les inclusions de sable noir sont à peine visibles, car de conservation de l'amphore est parfait.

La surface externe est de même couleur que la pâte, recouverte d'un engobe blanchâtre (10 YR 8/2-8/3) uniforme, bien conservé, obtenu par immersion.

Le vase a été renversé en le tenant par le bouton final que l'engobe n'a pas peint.

L'amphore est complète, sa capacité est d'environ 20 litres.

Sur le col sont peintes en rouge des lettres (pl. IX a et fig. 8 a)

H. tot. cm. 66
D. max. embouchure cm. 15, 6
D. max. panse cm. 38
H. col cm. 15, 2
D. col: haut cm. 12, 8
        bas cm. 11, 2
H. pied cm. 20
H. pied cm. 4
INV. n° 2313

Bibliographie: **Meligunìs-Lipàra II**, p. 151 et 209; pl. LII, 4; LIII, 4; LVI, 5.

Tombe du type à «bauletto» (petite malle) à couvercle bombé, formée de deux parties identiques, conjointes. Des contremarques incisées se répètent sur le corps et sur le couvercle de la tombe.

A l'intérieur, sur le fond, côté Est, il y avait un petit groupe de vases:
— Un lécythe à vernis noir (H. 18, 8; D. 4)
— Un autre lécythe, plus petit, décoré de trois palmettes dans la technique à figures noires (H. 13; Db. 3, 1)
— Un miroir circulaire de bronze (D. 13, 5)

Aux pieds du corps inhumé il y avait:
— Une olpé en argile fine, micacée; bouche et extrémité de l'anse peinte en brun foncé (H. 16, 6)

A l'extérieur du tombeau:
— Une amphore de type chiote (pl. I).
— Un stamnos à corps globulaire sans couvercle (H. 45, 7) contenait deux petits vases à vernis noir:
— Une bolsal (H. 8, 2; D.10, 3)
— Une kylix attique (H. 5; D. 12, 5)

Cat. 28

L'amphore est à panse cordiforme, col haut bombé. Le rebord à bourrelet massif n'est pas souligné d'un listel.

La pâte est de couleur rougeâtre (M.S.C. 5 YR 6/3), dure, consistante et contient des inclusions invisibles à l'oeil nu.

La surface externe est de même couleur que la pâte, revêtue d'un engobe blanchâtre obtenu par immersion (M.S.C. 10 YR 8/2-8/3) le fond excepté.

H. tot. cm. 66
D. embouchure cm. 15
D. max. panse cm. 37
H. col cm. 14, 8
D. col: haut cm. 12, 8
      bas cm. 11, 1
H. pied cm. 2
D. pied cm. 3, 5
INV. n° 2318

Tombe 427   Tr. XXII/1955   (Pl. X a, b)

Tombe à inhumation d'un enfant à l'intérieur d'une amphore à laquelle on avait volontairement scié le fond et qui avait été remis en place.

Calée par de petites pierres.

A l'intérieur de l'amphore quelques traces du corps inhumé et une coupe d'argile achrome, sans anses, deux trous sur le bord, décorée de sillons faits au tour. (H. 4, 2; D. 14, 5).

Cat. 29

L'amphore est à panse cordiforme avec un col renflé. La pâte est faite d'une argile très dépurée de couleur rougeâtre (M.S.C. 5 YR 6/3), dure, à fracture nette. Les inclusions sont invisibles.

La surface externe est de la même couleur que la pâte, recouverte d'un engobe blanc dont il ne reste que quelques traces (10 YR 8/2-8/3). Seul le fond n'était pas peint, ce qui nous démontre que l'amphore avait été immergée dans l'engobe liquide. En haut sur le col, la lettre M est peinte en rouge.

H. tot. cm. 64
D. max. embouchure cm. 17
D. max. panse cm. 35
H. col cm. 14, 1
D. col: haut cm. 11, 8
       bas cm. 10,7
H. pied cm. 2, 1
D. pied cm. 4
INV. n° 2321

Bibliographie: **Meligunìs-Lipàra II,** p. 153, pl. XLVII, 7.

Tombe 1525   Tr. XXXIV/1973   (Fig. 9 b; pl. XII, b)

Cat. 30

Très abîmée par les fumerolles volcaniques, une amphore était couchée dans le terrain sans protection ni mobilier funéraire.

De l'amphore il ne reste que la partie supérieure et quelques fragments de la panse.

Col haut renflé vers le bas, rebord à bourrelet massif souligné par un listel bien marqué. Les anses sont de section ovale.

47

La pâte est de couleur rougeâtre (M.S.C. 5 YR 6/3) consistante, à fracture nette, où l'on note de petites inclusions de sable rouge et noir.

La surface externe est très altérée par l'action des gaz et il n'y a aucune trace d'engobe.

H. col cm. 14, 4

D. max. embouchure cm. 14, 2

D. col cm. 10 e 10, 4

INV. n° 11083

Inédite

Tombe 1889   Tr. XXXVI/G/1981   (Pl. VIII a)

Une amphore couchée dans le terrain, orientée au Sud, cassée volontairement pour y introduire le corps d'un enfant, était protégée par des pierres.

A l'intérieur, aucun mobilier funéraire.

Cat. 31

L'amphore est à panse cordiforme, col bombé, bien dégagé, munie de deux anses à section ovale. Le rebord est à bourrelet massif.

La pâte est faite d'une argile dépurée couleur rougeâtre (M.S.C. 5 YR 6/4) d'une certaine consistance. Les inclusions sont minuscules et on peut les individualiser dans la fracture nette.

La surface externe est de même couleur que la pâte. L'engobe est assez bien conservé, uniforme sur toute la surface externe, le fond excepté, de couleur blanc-jaune (M.S.C. 10 YR 8/2-8/3) obtenu par immersion.

H. tot. cm. 63

D. max. embouchure cm. 16, 8

D. max. panse cm. 76

H. col cm. 16, 5

D. col cm. 20, 1 et 20, 4

H. pied cm. 1

D. pied cm. 4, 1

INV. n° 14058

Inédite

Inhumation d'un enfant à l'intérieur d'une amphore déposée horizontalement dans le terrain, orientée au Nord, calée et protégée par des pierres.

Cat. 32

Amphore à panse cordiforme allongée, col bien dégagé, renflé, rebord à bourrelet massif sans listel.

La pâte est faite d'une certaine consistance, à fracture nette, contient des inclusions invisibles à l'oeil nu. La surface externe est de même couleur que la pâte.

L'engobe externe, aujourd'hui mal conservé, de couleur blanchâtre (10 YR 8/2-8/3) est obtenu par immersion.

L'amphore est complète, mais a été restaurée. Sur la panse un trait de scie vertical fait penser à une première tentative d'ouvrir l'amphore pour y introduire le corps, tandis que l'on a préféré scier seulement le fond.

Sur l'épaule, juste au-dessous du col deux lettres incisées (pl. VIII c).

H. tot. cm. 62
D. max. embouchure cm. 15
D. max. panse cm. 57
H. col cm. 14
D. col: haut cm. 19, 1
        bas cm. 19, 3
H. pied cm. 2, 5
D. pied cm. 4
INV. n° 14079
Inédite

Tombe dispersée   Tr. XXXVI/J/1984

Cat. 33

Fragment de la partie supérieure d'une amphore de type chiote comprenant une anse, la moitié du col et le rebord. Col haut dégagé et bombé. La base du rebord à bourrelet massif est soulignée par un listel bien marqué qui n'a pas été interrompu par l'anse.

La section du rebord met en évidence un large creux obtenu par le repliement vers l'extérieur de la paroi du col.

La pâte est de couleur rougeâtre (M.S.C. 5 YR 5/6) à fracture nette grâce à laquelle on aperçoit de minuscules dégraissants de couleur noir et blanc et quelques paillettes de mica.

La surface externe était revêtue d'un engobe uniforme de couleur blanchâtre-jaunâtre.

H tot. conservée cm. 24

H. col cm. 10

D. embouchure cm. 14, 5-15

INV. n°15038

Inédite

Restes d'une tombe dans la tranchée IX (Pl. XII d)

Cat. 34

Amphore à panse cordiforme, haut col renflé, le rebord à bourrelet est souligné par un listel bien marqué.

Incomplète, il manque une anse; une grande partie de la panse est réintégrée. Un petit fragment du rebord permet de restituer le profil complet.

La pâte, de couleur rougeâtre (M.S.C. 5 YR 6/6), contient de minuscules inclusions de sable noir; elle est dure, à fracture nette.

La surface externe est de même couleur que la pâte, revêtue d'un engobe de couleur blanchâtre (M.S.C. 10 YR 8/2-8/3) assez bien conservé. L'amphore a été immergée en la tenant par le fond, des bavures sont rentrées à l'intérieur du col.

H. tot. conservée cm. 65, 5

D. max. panse cm. 57

H. col cm. 11

INV. n° 15037

Inédite

Tombe dispersée dans la tr. XXXI/1970 (Pl. VII b)

Cat. 35

Amphore incomplète, à corps cordiforme, col plutôt court, dégagé et bombé. La base du rebord à bourrelet massif, est soulignée par un listel bien marqué.

La pâte est de couleur rougeâtre (M.S.C. 5 YR 6/3), dure, à fracture nette, grâce à laquelle on aperçoit de nombreux dégraissants de couleur noir, blanc.

La surface externe est de même couleur que la pâte et cela est bien visible là où l'engobe est tombé.

L'engobe est uniforme de couleur blanchâtre (M.S.C. 10 YR 8/2-8/3), obtenu par immersion en tenant le vase, renversé, par le bouton final qui, lui, est épargné, tandis que de nombreuses bavures désordonnées envahissent le col de l'amphore.

Sur une anse il y a des traces de forte cuisson, ce qui a fait éclater la pâte.

H. tot. cm. 61, 5
D. panse cm. 69, 5
D. max. embouchure cm. 13, 5
H. col cm. 9, 5
D. col: haut cm. 16, 8
      bas cm. 17, 5
H. pied cm. 4, 3
INV. n° 15035
Inédite

Les amphores du type de la tombe 469.

Tombe 469   Tr. XXIII/1955   (Fig. 10; pl. XIII b)

Tombe à incinération dans une amphore incomplète à l'origine et dont la lacune a été comblée par des fragments d'une autre amphore.

A l'intérieur, avec des ossements brûlés il y avait un vase à vernis noir:
— une petite cruche à panse sphéroïdale trapue; anse rejoignant le bord à la panse, décorée dans le style de Gnathia (H. 8, 4; D. 7).

C'est un vase daté de la deuxième moitié du IVème siècle av. J.-C.

Cat. 36

Partie supérieure d'une amphore à panse ovoïde, col haut qui se raccorde à l'épaule avec souplesse, bord plat à profil saillant, triangulaire.

La pâte de couleur rose (M.S.C. 5 YR 7/8) contient de minuscules inclusions de mica et des particules de sable noir et blanc.

L'anse est de section ovoïde, assez courte, peu développée par rapport à l'amphore.

C'est une forme très proche de celle des amphores corinthiennes B, mais de fabrication plus grossière.

Nous retrouverons ce type d'amphores dans la décharge du Sanctuaire du «Terreno Maggiore»; décharge qui a recouvert l'autel A (le plus ancien) et qui a servi à niveler le terrain avant la construction de l'autel B.

H. tot. conservée cm. 40
D. panse environ cm. 35-37
D. embouchure cm. 18, 8
INV. n° 2359

Bibliographie: **Meligunìs-Lipàra II,** p. 169, pl. CXXXIX, 4.

Tombe 1424   Tr. XXXIII/1972   (Fig. 11; pl. XIII a)

Tombe à inhumation dans une amphore déposée horizontalement dans le terrain, orientée au SO, sans protection ni mobilier funéraire.

Cat. 37

Amphore à panse ovoïde qui se rétrécit dans sa partie inférieure, ce qui donne à l'amphore une forme plus allongée. Col haut, dégagé, lèvre à section triangulaire.

La pâte de couleur rougeâtre (M.S.C. 2. 5 YR 5/8) est dure, consistante, contient de nombreux dégraissants minuscules avec quelques éléments plus gros, noirs. La surface externe est brune (M.S.C. 2. 5 YR 5/2) en partie cachée sous un engobe à vernis dilué de couleur grise (M.S.C. 2.5 YR N5)

H. tot. cm. 68
D. max. embouchure cm. 15, 6
D. max. panse cm. 33, 6
H. col cm. 12
D. col cm. 2
INV. n° 10922
Inédite

Les amphores étrusques

Bibliographie:

L. Bernabò - Brea, M. Cavalier, **Mylai**, Novara, 1959, pl. LII, 3, 5-11.

C. Albore-Livadie, **Sur les amphores de type étrusque des nécropoles archaïques de Nuceria: aspects et problèmes de l'étrusquisation de la Campanie,** *Rivista di Studi Liguri,* a. XLIV (Gennaio-Dicembre 1978), n° 1-4, 1983, p. 71-135. L'auteur donne une bibliographie complète sur les amphores étrusques.

P. Pelagatti, **Ricerche lungo la costa di Camarina e alla foce dell'Ippari,** *Sicilia Archeologica,* 30, 1976, p. 22-23. A p. 23 parle de deux amphores étrusques de Megara Hyblaea.

G. Purpura, **Sul rinvenimento di anfore commerciali etrusche in Sicilia,** *Sicilia Archeologica,* 36, 1978, p. 43-51: fig. 2, anfora etrusca da Selinunte; fig. 3 *idem* da Imera, necropoli contrada Pestavecchia VI-V sec. a. C.; fig. 4-6, 8, 9, anfore della necropoli di Mozia.

Tombe 1212   Tr. XXXI/71   (Fig. 12 a; pl. XIV a)

Au-dessous de la tombe en briques crues 1209 datée du V-IVème siècle, une amphore était déposée horizontalement dans le terrain, orientée au Sud, fermée par un fragment de tuile et entourée de gravier fin.

Sur le fond de l'amphore les restes d'un petit enfant sans mobilier funéraire.

Cat. 38

L'amphore est à panse «en obus», à deux anses massives de section ronde et une lèvre à bourrelet légèrement facetté dépourvue de listel. Le col est peu marqué, le fond est plat et la paroi est assez fine.

La pâte est de couleur brun rougeâtre (M.S.C. 5 YR 4/6), très consistante, contient des dégraissants de sable noir tout petit (mm. 0,1-1).

La surface externe est cachée par l'engobe bien conservé, d'une argile diluée couleur jaune clair (M.S.C. 10 YR 7/4) de bonne consistance, passé au pinceau.

H. tot. conservée cm. 58

D. max. embouchure cm. 18

D. max. panse cm. 43, 6

INV. n° 10714

Inédite

Pas très loin de la tombe précédente. Amphore couchée dans le terrain, orientée vers le Sud, fermée par un petit fragment de tuile (cm. 13x12), calée par plusieurs pierres, dans une couche de gravier.

Cat. 39

L'amphore a une panse «en obus» et deux anses massives. La bouche a été volontairement sciée pour y introduire le corps d'un tout petit enfant. Col à peine marqué.

La pâte est de couleur brunâtre (M.S.C. 5 YR 4/6), très dure, contient des dégraissants de sable noir.

La surface externe est revêtue d'un engobe d'argile diluée de couleur jaune clair, de bonne qualité, passé au pinceau.

Elle est identique à l'amphore de la tombe 1212, mais de plus petite dimension.

H. tot. conservée cm. 48

D. max. embouchure cm. 18

D. max panse 53

INV. n° 10712

Inédite

Tombe à inhumation d'enfant dans une amphore étrusque déposée horizontalement dans le terrain, fermée d'un fragment de tuile (cm. 20×33,2), orientée au Nord.

Près d'elle, du côté Ouest, deux petits vases composaient le mobilier funéraire: (Pl. XV a)

— Une kylix, large, apode, à vernis noir, d'imitation attique H. 4,8; D. 12,4

— Un petit skyphos à vernis noir. H. 4,8; D. 7,6

Cat. 40

L'amphore à panse large bombée est très semblable à celle de la tombe 1890. Elle est munie de deux anses massives de section ronde. Autour de la bouche, lèvre en bourrelet de section ''en amande''.

La pâte est assez grossière, contient de nombreux dégraissants blanc, noir et quelques paillettes de mica. Elle est de couleur rougeâtre (M.S.C. 5 YR 6/4).

La surface externe est revêtue d'un engobe de couleur jaune clair (M.S.C. 10 YR 7/6), mais est très corrodée parce que mal cuite. Elle est déformée par sa longue permanence dans la terre; on ne peut la restaurer complètement. Le fond manque. Sur la panse un trou rond avait été fait pour l'écoulement.

H. tot. conservée cm. 48,1

D. Max. embourchure cm. 18

D. max. panse cm. 50

Inédite

Tombe 1890   Tr.XXXVI/1981/G   (Fig. 13 a; pl. XV c, e)

Orientée au Sud, une amphore étrusque avait été déposée horizontalement dans le terrain, bouchée d'une plaque lithique et calée par de nombreuses pierres.

A l'intérieur de l'amphore, avec les restes de l'incinération, il y avait un petit groupe de vases: (pl. XV e)

— Un lecythe à vernis noir H. cm. 10,7

— Une petite tasse hémisphérique munie d'une seule anse. H. cm. 2,4; D. 6,3

— Un lopadion en terre cuite plutôt grossière muni de son couvercle H. cm. 7,3; D. 14,5

Cat. 41

Amphore à panse «en obus» munie de deux anses massives de section ronde. La lèvre à bourrelet de section ovale «en amande» est dépourvue de listel. Le col est à peine marqué; en effet la lèvre prolonge directement l'épaule de l'amphore.

La pâte est de couleur rougeâtre foncé (M.S.C. 5 YR 4/6), elle contient de nombreux dégraissants: du sable avec éléments plus gros couleur blanc, gris, grenat, noir de petite dimension (mm. 2x2).

La surface externe est lisse, de couleur jaune foncé (M.S.C. 5 YR 6/6). L'engobe est uniforme sur toute la surface, de couleur jaune clair (M.S.C. 10 YR 8/3), très consistant, étalé à coups de pinceau obliques sur la paroi et horizontaux vers le fond.

H. tot. cm. 53,2

D. max. embouchure cm. 18

D. max. panse cm. 54

INV. n° 14059

Inédite

Tombe 355   Tr. XXI/ 1954   (Fig. 12 b; pl. XIV b, d)

Elle fait partie du groupe compact des amphores de la tranchée XXI (fig. 1); couchée dans le terrain, orientée au Nord, calée par de petites pierres.
L'amphore contenait les restes d'un enfant inhumé et avait comme mobilier funéraire:
— Un petit skyphos corinthien décoré à bandes et traits verticaux noirs et rouges. H. 3,8 D. 5,3 (Pl. XIV d).

Cat. 42

Amphore à panse «en obus». Deux anses massives de section ronde et une lèvre à bourrelet tout petit. Le fond est plat, les parois sont assez fines, le col est à peine marqué.
La pâte contient des dégraissants de sable noir mêlés à des éléments plus gros couleur blanc, gris, grenat, d'environ mm. 2x2, elle est de couleur jaune rougeâtre (M.S.C. 7,5 YR/7,6), consistante, à fracture nette. La surface externe est un peu plus claire que la pâte, onctueuse au toucher, enduite d'un engobe bien conservé d'une argile diluée de couleur M.S.C. 10 YR 8/4 étalé au pinceau.
H. tot. cm. 59,6
D. max. embouchure cm. 13,6
D. max. panse cm. 44
D. fond. cm. 5,8
INV. n° 915
Chronologiquement la plus ancienne.

Bibliographie: **Meligunìs-Lipàra II,** p. 128, pl. XLI, 5.

Les amphores puniques

Bibliographie:

G. PURPURA, **Nuove anfore nell'antiquarium di Terrasini,** *Sicilia Archeologica* 35, a. X, 1977, p. 55, fig. 2 A et pl. I a.
J. M. MAÑA, **Sobre tipologia de anforas punicas,** dans *Cronica del VI Congresso Arqueologico del Sudeste Espanol,* Alcoy, 1950, p. 203-209.
Y. SOLIER, **Céramique punique sur le littoral du Languedoc du VIème au début du IIème s. av. J.-C.,** dans *Hommages à Benoit,* II, Bordighera, 1972, p. 127-150.

Un exemplaire identique à celui de la t. 1106 se trouve dans l'antiquarium de Terrasini provenant du Canal de Sicile:

Amphore déposée horizontalement dans le terrain orientée au Nord, bouchée par un fragment de tuile, protégée de pierres de tous côtés.

A l'intérieur de l'amphore, le corps inhumé d'un enfant assez mal conservé et deux petits vases:

— Un vase plastique en forme de rat, décoré d'une guirlande de feuilles de lierre (H. 6, 8, L. 11, 1)

— Un petit stamnos achrome décoré de bandes à vernis dilué, assez cassé (H. 7, 5) sans couvercle. (Pl. XVI c).

Cat. 43

L'amphore à panse cylindrique incurvée très allongée est à fond convexe, munie de petites anses de section ovale aplaties d'un seul côté. La bouche est entourée d'un ourlet à disque plat peu marqué.

La pâte de couleur rouge foncé (M.S.C. 2.5 YR 6/6) et plus grisâtre vers le fond (M.S.C. 2.5 YR 6/4) contient des inclusions invisibles à l'oeil nu.

La partie inférieure de l'amphore s'est déformée pendant la cuisson.

H. tot. cm. 77, 6

D. max. embouchure cm. 16, 4

D. max. panse cm. 28

INV. n° 10539

Inédite

Elle est du type Maña A. M. ALMAGRO, dans **Las necropolis de Ampurias,** Barcelone 1953, I, p. 44, doute de l'origine et qualifie de «greco-punico» un exemplaire identique au nôtre.

A la profondeur de 2m30 environ une amphore, écrasée par le poids du terrain, avait été déposée horizontalement dans le terrain sur une couche de gravier, protégée par des pierres; elle contenait un enfant inhumé.

Cat. 44

L'amphore, de forme allongée, ventrue, se rétrécit vers la partie inférieure, elle a un col court, cylindrique, décoré de trois sillons faits au tour. Elle est munie de deux anses de section ovale, aplaties d'un seul côté, pied à bouton à peine dégagé.

La pâte, dure, bien cuite, de couleur rougeâtre (M.S.C. 5 YR 6/4), avec des tâches plus claires (M.S.C. 7.5 YR 7/4) selon la cuisson, contient des inclusions invisibles à l'oeil nu.

H. tot. cm. 53, 2

D. max. embouchure cm. 12, 4

D. max. panse cm. 30, 8

INV. n° 237

Bibliographie: **Meligunìs-Lipàra II,** p. 38, fig. 6.

Le bothros d'Eole

Le bothros d'Eole, mis au jour sur l'acropole par nos fouilles de 1954, est semblable à une grande citerne (fig. 14) en forme de fuseau, avec une profondeur de 7m et un diamètre de 3m. 50 environ.

Il ne s'agit pas d'une citerne car sa construction est en pierres sèches, donc parfaitement perméable et n'a aucune trace de revêtement ou de crépi.

Sa partie inférieure est taillée dans le roc et correspond à une faille d'où on entend siffler le vent.

Nous devons le considérer comme un grand dépôt votif.

Il est parfaitement conservé jusqu'au niveau du sol d'époque grecque et traverse donc toutes les couches préhistoriques qui se superposent sur l'acropole de Lipari de la fin de l'âge du bronze au néolithique qui est à la base.

La partie supérieure n'est pas conservée, mais à l'intérieur, nous avons trouvé deux fragments du couvercle rond, surmonté d'un petit lion couché; sur ses deux côtés s'ouvrent deux orifices par où on devait jeter les offrandes sacrées.

Le style de cette sculpture permet de l'attribuer à la moitié du VIème siècle av. J.-C. Elle est en pierre volcanique grise locale, certainement sculptée à Lipari, peut-être par un artisan cnidien de la première génération.

Cette grande cavité était remplie jusqu'à mi-hauteur d'une masse de fragments de poterie, volontairement cassée, qui s'échelonne depuis la moitié du VIème à la deuxième moitié du Vème siècle av. J.-C.

Il s'agissait évidemment d'un dépôt d'offrandes qui devait être en rapport avec un sanctuaire dont nous n'avons trouvé aucun indice en surface.

Mais nous savons que la terrible destruction de Lipari par les Romains en 252/51 av. J.-C., n'a laissé pierre sur pierre de la ville grecque.

Que ce dépôt d'offrandes soit consacré à Eole nous le prouverait une petite olpé achrome, décorée a bandes, de production locale, qui porte sur le col l'inscription incisée AIO [ΛOY].

Si c'était ainsi, ce complexe aurait un grand intérêt historique car le culte d'Eole a dû être un des éléments les plus importants de la fusion des colonisateurs cnidiens avec les indigènes.

Ceux-ci, en effet, nous dit Diodore, se considéraient les descendants d'Eole. D'autre part, pour une raison politique évidente, les notables cnidiens de la famille de Pentathlos qui guidaient l'expédition se présentaient aux indigènes comme les descendants d'Ippotes, le père de l'Eole homérique.

L'accord parfait entre les indigènes et les colonisateurs cnidiens était indispensable, face à l'inévitable guerre contre les Etrusques qui s'opposaient à la reconstruction de Lipari, que probablement eux-mêmes avaient détruit trois siècles auparavant.

Je ne m'arrêterai pas sur la description des matériaux trouvés dans le bothros car

F. Villard est en train de les étudier et ne m'occuperai que des amphores qui étaient mélangées à ce complexe du VI-Vème siècle av. J.-C.

Bibliographie:

L. Bernabò-Brea, M. Cavalier, **Scavi in Sicilia, Lipari. Zona archeologica del Castello**, *Bollettino d'Arte del Ministero della Pubblica Istruzione,* N. III-IV, Luglio-Dicembre 1965, p. 205, fig. 17-18.

Id., ead., **Il Castello di Lipari e il Museo Archeologico Eoliano**, Palerme, 1977, p. 90-91; fig. 46-50.

G. Vallet in **Storia della Sicilia**, vol. I, 1979, p. 592-593 et fig. 119.

Les amphores corinthiennes

Dans le bothros nous n'avons aucune pièce entière. Cela est dû peut-être à l'habitude rituelle de casser les vases que l'on offrait. Donc les amphores étaient, elles aussi, réduites en morceaux d'où la masse de fragments de panses et d'anses.

Les amphores corinthiennes du type A' de la Koehler (cfr. Koehler, *Corinthian, op. cit.,* fig. 1 c) sont représentées par 8 fragments dont trois cols entiers:

Cat. 45

Partie supérieure d'une amphore conservant le col haut cylindrique, assez dégagé de l'épaule et une anse.

La bouche est entourée d'un large bord incliné de section triangulaire. L'anse est massive, de section ronde.

La pâte, de couleur claire rosée (M.S.C. 7.5 YR 7/4), contient de gros dégraissants blanc et grenat.

La surface externe est recouverte d'un engobe d'argile diluée de couleur jaunâtre très claire (M.S.C. 10 YR 8/3) étalé au pinceau.

H. tot. conservée cm. 22

D. max. embouchure cm. 17, 2

H. col environ cm. 18 (Pl. XVII a; fig. 16 a).

Cat. 46

Partie supérieure d'une amphore conservant le col haut, cylindrique, bien dégagé de la panse et une seule anse cassée à la base du col.

La bouche est entourée d'un large bord incliné de section triangulaire. L'anse est massive, de section ronde. La pâte est de couleur claire, rosée (M.S.C. 7.5 YR 8/4), très consistante, et contient de gros nodules grenat. La surface externe est recouverte d'un engobe d'argile diluée de même couleur que la pâte, étalé au pinceau.

Observons encore la présence d'une ligne radiale incisée sur le bord du col entre les deux anses.

H. tot. cm. 18, 5

D. max. embouchure cm. 16, 2

H. col cm. 14 (Pl. XVII b).

Cat. 47

Partie supérieure d'une amphore conservant le col haut cylindrique, le début de l'épaule et une seule anse. La bouche est entourée d'un large bord incliné de section triangulaire.

L'anse est massive, de section ronde.

La pâte est de couleur rosée (M.S.C. 7.5 YR 8/4), à fracture nette, et contient de gros dégraissants blanc et grenat.

La surface externe est recouverte d'un engobe d'argile diluée couleur blanchâtre (M.S.C. 10 YR 8/3) étalé au pinceau.

Sur le col un signe incisé avant la cuisson (H. signe cm. 2, 6; fig. 14)

Deux lignes radiales incisées sur le bord du col sont en coïncidence avec l'anse.

H. tot. conservée cm. 22, 5

D. max. embouchure cm. 16, 5

H. col cm. 15 (Pl. XVII, c).

Cat. 48

Extrémité supérieure d'une amphore conservant la bouche entourée d'un large bord incliné, de section triangulaire, et l'attache supérieure d'une des anses à section ronde.

La pâte est de couleur blanchâtre (M.S.C. 10 YR 7/4) à fracture nette, et contient de gros dégraissants blanc et rouge.

La surface externe est recouverte d'un engobe d'argile diluée de même couleur que la pâte, étalé au pinceau.

Nous observons la présence d'une ligne radiale incisée sur le bord du col en coïncidence de l'anse, dont il ne reste que l'attache supérieure.

H. tot. conservée cm. 9, 2

D. max. embouchure cm. 16, 5 (Pl. XVIII).

Cat. 49

Fragment de rebord conservant l'attache supérieure de l'anse massive, à section ronde. Large bord incliné de section triangulaire. Observons un certain intervalle entre l'anse (cassée) et le rebord. Ce détail rapproche ce fragment du type plus ancien A, bien que le rebord soit celui des amphores de type A'.

La pâte est de couleur rosée (M.S.C. 7.5 YR 7/4), très consistante, et contient de gros dégraissants blanc et grenat. La surface externe est recouverte d'un engobe d'argile diluée de couleur jaunâtre très claire (M.S.C. 10 YR 8/3), étalé au pinceau.

Mes. fragment cm. 7,6x8. (Pl. XVIII).

Cat. 50 et 51

Deux fragments de rebord large incliné, de section triangulaire; l'un d'eux (51) conserve les traces de l'attache supérieure de l'anse.

L'argile est de couleur claire rosée (M.S.C. 7.5 YR 7/4) très consistante, et contient des dégraissants blanc et grenat.

La surface est recouverte d'un engobe d'argile diluée couleur jaune clair (M.S.C. 10 YR 8/3), étalé au pinceau.

Observons encore sur le fragment 51 des traces de peinture rouge.

Mes. fragments: n° 50: cm. 11, 2x5, 7; n° 51: cm. 8, 7x12, 5 (Pl. XVIII).

Cat. 52

Fragment du col d'une amphore de même type, cassée supérieurement à la base du rebord. Argile idem.

Mes. frag. cm. 7,7x8,2

Nous avons 7 fragments d'amphores corinthiennes de type B: la partie supérieure d'une amphore bien conservée, une bouche entière, un fragment de col avec rebord, trois fragments de bord, et un fond à petit bouton conique.

Cat. 53

Partie supérieure d'une amphore corinthienne B comprenant la bouche, le col, une anse et une partie de l'épaule.

C'est le type d'amphore à panse ovoïde parfaitement régulière, à col plutôt court, à bouche entourée d'un bord à section triangulaire. Elle est munie d'anses (une seule conservée) à section ovale, appliquées juste au-dessous du bord sans déformer la bouche.

La pâte est de couleur rose clair (M.S.C. 5 YR 7/4) et contient de minuscules inclusions invisibles à l'oeil nu. La surface est revêtue d'un engobe à vernis dilué, de couleur jaune (M.S.C. 10 YR 8/3) très clair, passé au pinceau, mal conservé.

H. tot. conservée cm. 15, 2

H. col cm. 11, 6

D. max. bouche cm. 17, 6 (Pl. XVIII; fig. 17).

Cat. 54

Large fragment comprenant la bouche entière et une partie du col d'une autre amphore du même type. La bouche est entourée d'un bord à section triangulaire; sur l'épaisseur du bord sont incisées deux lignes radiales.

La pâte est de couleur rose clair (M.S.C. 5 YR 8/4) et contient des grains de sable invisibles à l'oeil nu.

La surface externe est revêtue d'un engobe clair (M.S.C. 7.5 YR 7/4) passé délicatement au pinceau.

H. conservée cm. 4, 8

D. max. bouche cm. 14, 5 (Pl. XVIII; fig. 16 b).

Cat. 55

Plus de la moitié d'un col d'une autre amphore idem.

Sont conservées une partie du bord à section triangulaire et les deux attaches supérieures des anses à section ovale, appliquées juste au-dessous du bord.

La partie supérieure du col est décorée de deux sillons faits au tour. Sur le col, des traces de peinture rouge: une barre verticale et le signe de la fig. 14 e.

La pâte, de couleur blanchâtre (M.S.C. 10 YR 8/3) contient des dégraissants invisibles à l'oeil nu.

La surface est revêtue d'un engobe de même couleur que la pâte, passé au pinceau.

H. conservée cm. 10, 5

D. bouche int. cm. 13 (Pl. XVIII; fig. 16 e).

Cat. 57 a-b

Deux fragments de rebord à section triangulaire: l'un d'eux conserve une partie du col décoré de deux sillons faits au tour. Ils appartiennent à une amphore à bouche déformée identique à l'exemplaire cat. 9, fig. 4 c; pl. IV a, e.

La pâte est de couleur rosée avec des taches plus grises, mais la différence de couleur est due uniquement à la cuisson (M.S.C. 7.5 YR 7/4). Elle contient des inclusions invisibles à l'oeil nu.

La surface externe est revêtue d'un engobe jaune clair (M.S.C. 10 YR 8/3) passé au pinceau.

Mes. fragments a) cm. 6, 1x14; b) cm. 9,6x3,6 (Pl. XVIII).

Cat. 58

Fragment de la bouche déformée d'une amphore corinthienne B qui conserve une petite partie du col et les traces de l'attache supérieure de l'anse, appliquée tout de suite au-dessous du bord de façon à déformer la bouche.

La pâte est de couleur rose (M.S.C. 7.5 YR 7/4) et contient des inclusions invisibles à l'oeil nu.

La surface est revêtue d'un engobe de couleur jaune (M.S.C. 10 YR 8/3) étalé au pinceau.

H. cm. 6, 1

D. bouche environ cm. 15, 6 (Pl. XVIII).

Cat. 59

Fragment de fond à petit bouton conique (cfr. KOEHLER, fig. 1 a, b).

L'argile de couleur rose (M.S.C. 7.5 YR 7/4) contient des dégraissants invisibles à l'oeil nu.

La surface externe est revêtue d'un engobe de couleur claire (M.S.C. 10 YR 8/3) étalé au pinceau.

Mes. frag. cm. 11, 7x11, 4.

Amphores de type incertain

Cat. 60

Partie supérieure d'une amphore comprenant plus de la moitié de la bouche et les deux anses incomplètes.

Le col est à paroi mince, le rebord à profil triangulaire, très net, souligné à la base d'une ligne incisée faite au tour.

Les anses sont plates et larges. La surface externe est polie. L'argile est fine, compacte, bien cuite, à fracture nette, et contient de minuscules dégraissants blancs. Elle est de couleur rougeâtre (M.S.C. 2.5 YR 6/6) tandis que la surface externe est plus claire, couleur noisette (M.S.C. 5 YR 7/4).

La forme du bord et les anses permettent de rapprocher ce fragment à l'exemplaire de Vico Equense que N. Di Sandro attribue peut-être à Mende.

Mes. frag. cm. 13x11 (Fig. 16 c).

Cat. 61

Un deuxième fragment comprend la moitié du col et le début de l'anse d'une amphore à parois très minces et de petites dimensions. Le col est haut, bombé, décoré de sillons faits au tour à peine marqués. Le rebord est à petit bourrelet concave à l'extérieur et convexe à l'intérieur. L'anse est large à section ovale aplatie. La pâte est claire de couleur rose (M.S.C. 5 YR 8/4) et contient de nombreuses et fines paillettes de mica et de petites particules de sable noir. La surface externe est de couleur un peu plus foncée (M.S.C. 7.5 YR 8/4).

Des traces de peinture rouge sont à la base du col et sur l'attache supérieure de l'anse.

Le col bombé nous fait penser à une amphore chiote.

Mes. frag. cm. 13x11 (Fig. 16 f).

Cat. 56

Petit fragment de la partie supérieure d'une amphore à col cylindrique, lèvre à petit bourrelet. Sur la paroi du col sont visibles les traces de l'attache supérieure d'une des deux anses. La pâte est très consistante, de couleur brune avec des tâches plus roses (M.S.C. 10 YR 6/3), elle contient de petites particules blanches.

Mes. fragment: cm. 6, 3x4, 9 (fig. 16 d).

Les amphores de type chiote

Elles sont de beaucoup les plus nombreuses et se divisent en deux variantes sur la base de la pâte et de la présence ou de l'absence d'un engobe. (Type A et type B).

La première classe, sans engobe, est très proche des amphores de type massaliète et lorsque nous n'avons que de petits fragments de rebord, il est difficile de les distinguer.

En effet elles ont un rebord à bourrelet obtenu par le reploiement de la paroi du col vers l'extérieur. De nombreux exemplaires, comme dans les massaliètes, laissent entrevoir un creux à l'intérieur du rebord replié (fig. 18 g).

La base du rebord est soulignée par un listel plus ou moins marqué, qui est quelquefois interrompu par l'attache supérieure de l'anse.

De la première variante ou type A, nous avons quatre cols complets de la bouche à la base, neuf fragments de cols qui permettent d'en reconnaître le profil, trois cols renflés sans bord et plus d'une quarantaine de fragments de rebords, avec ou sans partie du col.

En tout, nous avons donc, de ce type, une soixantaine d'exemplaires, sans compter la grande masse de fragments de panses et d'anses.

Cat. 62

Col haut renflé avec rebord à bourrelet massif obtenu par le reploiement vers l'extérieur de la paroi du col, sans listel; il conserve seulement les attaches supérieures des deux anses.

La pâte, de couleur jaune clair (M.S.C. 10 YR 8/3) est bien cuite, à fracture nette, elle contient de nombreuses et fines paillettes de mica mélangées à de petites particules de sable noir et blanc (pl. XVII f).

Traces de signes (ou lettres) peints en rouge: d'une part un grand gamma assez effacé (pl. XVII h), de l'autre un ovale minuscule (D. cm. 2), mais bien conservé (Pl. XVII i). D'autres traces de peinture sont à la base du col.

H. conservée cm. 18, 3

D. bouche cm. 16

H. col cm. 13

Cat. 63

Col identique au précédent, sans aucune trace de peinture et rétrécissement de la paroi à l'intérieur du col.

H. conservée cm. 16, 5

D. bouche cm. 16

H. col cm. 12 (Pl. XVII e).

Cat. 64

Col identique au précédent plus cassé. Il conserve une partie du rebord et l'attache supérieure d'une des anses. Aucune trace de peinture. Rétrécissement de la paroi à l'intérieur du col.

H. conservée cm. 20, 7

H. col cm. 13

D. bouche cm. 16 (Pl. XVII d).

Cat. 65

Grand col bombé identique au précédent, conserve une anse entière, le début de l'épaule et l'attache supérieure de la deuxième anse.

La pâte est la même, mais contient des dégraissants plus gros.

Sur le col est incisée une grande L. A l'intérieur du col on note le rétrécissement de la paroi en coïncidence avec les attaches supérieures des anses.

H. conservée cm. 22, 6

H. col cm. 13, 4

D. bouche cm. 16 (Pl. XVII g; fig. 18 a).

Cat. 66

Plus de la moitié d'un col identique aux précédents qui conserve l'attache supérieure d'une des deux anses.

Aucune trace de peinture rouge.

H. conservée cm. 19, 6

H. col cm. 12, 5-13

D. bouche cm. 16 (Pl. XIX).

Cat. 67

Moitié d'un col identique au précédent qui conserve l'attache supérieure d'une des deux anses. Pâte très micacée. La paroi repliée du col laisse entrevoir un creux à l'intérieur du rebord.

H. conservée cm. 17, 4

H. col cm. 12, 5-13

D. bouche cm. 16 (Pl. XIX).

Cat. 68

Fragment d'un col identique au précédent, qui conserve l'attache supérieure d'une des anses. La pâte est claire de couleur rose (M.S.C.5 YR 8/4), et contient de nombreuses paillettes de mica et de petites particules de sable noir.

H. conservée cm. 15

H. col cm. 10, 8 (Pl. XIX).

Cat. 69

Fragment d'un col identique au précédent. Pâte idem. Sur un côté on reconnaît encore les traces d'un signe peint en rouge, très effacé. On pourrait y voir un gamma à angle arrondi.

H. conservée cm. 18, 4

H. col cm. 12, 5 (Pl. XIX).

Cat. 70

Fragment de la bouche et partie du col d'un exemplaire identique au précédent, mais plus grand. Rebord à bourrelet tombant obtenu par le reploiement vers l'extérieur de la paroi du col, qui laisse subsister un creux. Il conserve l'attache supérieure de l'anse. Pâte idem.

H. conservée cm. 11, 5

D. bouche cm. 14, 5 (Pl. XIX).

Cat. 71

Fragment du col d'un exemplaire identique au précédent. Sont conservées une partie du rebord et l'attache supérieure de l'anse. Pâte idem, qui contient de gros dégraissants blanc et grenat.

Un trait vertical peint en rouge, bien conservé, est en contact avec l'anse.

H. conservée cm. 8, 2

Larg. conservée cm. 13, 5 (Pl. XIX; fig. 18 e).

Cat. 72 et 73

Deux fragments de col identiques au précédent. L'un d'eux conserve l'attache supérieure de l'anse, l'autre des traces d'un signe peint en rouge.

72) cm. 11x15,8

73) cm. 13,1x14 (Pl. XIX).

Cat. 74

Plus de la moitié d'un col d'amphore conservant l'attache supérieure de l'anse. Rebord à bourrelet qui laisse subsister à l'intérieur un large creux. La base du rebord est soulignée par un listel bien marqué. Pâte idem.

H. conservée cm. 17, 2

H. col cm. 13, 1

D. embouchure cm. 16 (Pl. XIX; fig. 18 g)

A l'intérieur du col de nombreux sillons faits au tour et des traces de poix noire.

Cat. 75

Fragment du col d'un exemplaire identique au précédent. La base du rebord est soulignée par un listel bien dégagé. Pâte idem.

H. conservée cm. 16, 5

H. col cm. 11, 4 (Pl. XIX; fig. 18 f).

Cat. 76

Bouche entière, début du col avec l'attache supérieure d'une des deux anses. Exemplaire comme le précédent, listel moins bien dégagé.

H. conservée cm. 8, 8

D. bouche cm. 15, 5 (Pl. XIX).

Cat. 77

Plus de la moitié d'un col d'amphore identique au précédent, qui conserve l'attache supérieure d'une des anses. Listel peu marqué. Pâte idem.

H. conservée cm. 13, 5

D. bouche cm. 15, 5 (Pl. XIX).

Cat. 78

Petit fragment du rebord qui laisse subsister un creux. La base du rebord est soulignée par un listel bien dégagé, qui devient presque une vraie moulure. A l'intérieur de l'amphore des traces de poix.

Dimensions du fragment: cm. 6,9x6 (Fig. 18 d; Pl. XIX).

Cat. 79, 80, 81

Trois fragments de la partie supérieure d'amphores identiques aux précédentes comprenant partie du col bombé et le début de l'épaule. Pâte idem.

79) H. conservée cm. 19,5

80) Mes. frag. cm. 15x10,5

81) Mes. frag. cm. 14x13,2

A ce catalogue nous devons ajouter 45 fragments de rebords avec ou sans la partie du col, sans compter la masse de fragments appartenant à la panse et les nombreuses anses des mêmes amphores.

La deuxième classe est faite d'une pâte tout à fait différente de couleur rougeâtre (M.S.C. 5 YR 6/3 et 2.5 YR 5/4) plus foncée qui contient de petites particules noires et blanches, peu de mica. La surface est rugueuse au toucher et toujours revêtue d'un engobe blanchâtre (M.S.C. 10 YR 8/2-8/3) obtenu par immersion en tenant l'amphore renversée par le bouton final, d'où les bavures d'engobe à l'intérieur du col.

La forme est identique à celle de la classe précédente avec un col plus ou moins renflé, le rebord massif arrondi, presque toujours souligné par un listel bien marqué (Pl. XX; Fig. 18 b-c).

Nous avons une vingtaine de fragments, aucun d'entre eux ne nous donne la complète hauteur du col, mais c'est le type que nous connaissons bien grâce à de nombreux exemplaires entiers de la nécropole de la «contrada Diana» (Pl. VII-XII).

Cat. 82

Extrémité supérieure d'une amphore conservant la bouche complète, une partie du col, les deux attaches supérieures des anses. La bouche est entourée d'un rebord à bourrelet massif, obtenu par le reploiement vers l'extérieur de la paroi du col. La base du rebord est soulignée par un listel bien marqué.

H. conservée cm. 10
D. bouche cm. 15, 8-16 (Pl. XVII j; Pl. XX).

Cat. 83

Partie supérieure d'un autre exemplaire identique au précédent.
H. conservée cm. 10, 1
D. bouche cm. 14, 4 (Pl. XX).

Cat. 84

Fragment identique au précédent, qui conserve l'attache supérieure d'une seule anse.
H. conservée cm. 9, 4
D. bouche cm. 16 (Pl. XX).

Cat. 85

Fragment identique au précédent, cassé à la hauteur du rebord.
H. conservée cm. 7, 5
D. bouche cm. 16, 5.

Cat. 86 à 89

Groupe de fragments de col conservant une partie du rebord et l'attache supérieure de l'anse (Pl. XX; fig. 18 c).

Cat. 90

Fragment du bord et du col d'un exemplaire identique au précédent. L'engobe externe est un peu différent des autres (M.S.C. 5 YR 8/3)

Mes. frag. cm. 9; Diam. environ cm. 16, 6 (Fig. 18, b).

Cat. 91, 92, 93

Trois fragments de rebord et toute petite partie du col d'exemplaires identiques au précédent.

Pâte et engobe idem.

91) cm. 9,5x13 (Pl. XX)

92) cm. 9,7x15,6 (Pl. XX)

93) cm. 8,3x12 (Pl. XX)

A ce catalogue nous devons ajouter une douzaine de fragments de rebords, de petite taille (cm. 15x4,3 à cm. 6,6x4,6).

La décharge au pied du mur polygonal de Piazza Monfalcone

La Lipàra fondée par les Cnidiens s'est très vite développée et au cours du VIème siècle av. J.-C., l'habitat s'est étendu en dehors de l'acropole.

En 1954, lorsque nous avons fouillé Piazza Monfalcone, située au centre de la ville actuelle, nous avons mis au jour une partie du mur d'enceinte archaïque. Ce mur était très bien conservé, de structure noble, en blocs polygonaux soigneusement dressés et associés de façon à ne pas laisser d'intervalle entre eux. C'est une technique qui résiste aux tassements et aux glissements de terrain et qui présente un ensemble de lignes souples et sinueuses très décoratives. Tous les blocs ont été extraits des carrières du Monte Rosa dans la baie de Lipari et des carrières de Fuardo sur les hauts plateaux de l'île (Pl. XXI).

La couche V a mis au jour une grosse décharge qui s'était formée, très dense (en quelques points il y avait plus de poteries que de terre), au pied du mur d'enceinte.

Cette décharge qui enterrait le pied du mur pour une hauteur de 30 à 40 centimètres était évidemment postérieure à la construction du mur (fig. 19).

La couche VI qui coïncidait avec le niveau des fondations, contenait moins de matériel et correspondait au sol originel à l'extérieur du mur, au moment de sa construction.

Les matériaux qui y ont été trouvés sont caractéristiques de la fin du VIème siècle av. J.-C.

Les matériaux recueillis dans la couche V sont très nombreux (plus de cent caisses) et sont bien datés entre la fin du VIème et le début du Vème siècle av. J.-C.

La céramique de cette couche a été étudiée en Meligunìs-Lipàra I lors de la publication de la fouille.

La plus grande partie du matériel est formée d'une poterie achrome décorée à bandes ou de poterie peinte à vernis dilué de couleur brune que nous avons attribuée à une production «ionienne» ou à des fabriques siciliennes qui l'ont imitée.

Après les études de François Villard, la presque-totalité de cette céramique peut être considérée comme étant de fabrication liparote.

Elle présente une grande variété de formes.

Mélangée à cette poterie locale il y a un certain nombre de fragments de céramique importée: un fragment de poterie rhodienne, un petit nombre de fragments de poterie corinthienne, surtout des skyphoi, mais un certain nombre de fragments attiques très importants pour la chronologie. Notons en particulier deux fragments de cratère à figures noires du VIème siècle et deux fragments de vases à figures rouges datés du début du Vème siècle av. J.-C. (Pl. XXII a).

Plus de la moitié des matériaux de cette décharge consiste en des fragments d'amphores, quelquefois très petits, mais qui nous permettent de reconnaître plusieurs types.

Bibliographie:

L. Bernabò-Brea, M. Cavalier, **Meligunìs-Lipàra I. La stazione preistorica della contrada Diana e la necropoli protostorica di Lipari**, Palerme, 1960, p. 97-103, pl. XXIX-XXXI.
Id., ead., **Il Castello di Lipari e il Museo Archeologico Eoliano**, Palermo, 1977, p. 90 et fig. 38
G. Vallet, in **Storia della Sicilia**, Vol. I, 1979, p. 593.

Les amphores corinthiennes

Cat. 94, 95, 96

Trois fragments de bord sont caractéristiques du type A' de C. Koehler.
La pâte est claire (M.S.C. 10 YR 7/4) vacuolaire, contient des dégraissants grenat et blanc.

94) cm. 6, 5x11 (Pl. XXIII et fig. 20 b)
95) cm. 5, 8x10, 1 (Pl. XXIII et fig. 20 a)
96) cm 5, 7x11, 8 (Pl. XXIII).

Vingt-quatre fragments de bords appartiennent à des amphores de type B. Quelques-uns sont très petits; d'autres conservent le début du col et ces derniers permettent de distinguer deux variantes.

Cat. 97

La première est caractérisée par un large sillon arrondi qui court à 1 centimètre environ sous le rebord.
La pâte est dure, bien cuite de couleur jaune rosé (M.S.C. 10 YR 8/3) et contient des inclusions non visibles à l'oeil nu.
Mes. frag. de cm. 10, 4x6, 9 à cm. 5, 1x7, 3 (Pl. XXIII).

Cat. 98

La seconde variante est décorée d'une petite bande très nette. La pâte est dure, bien cuite, et contient des dégraissants blanc et grenat, de couleur blanchâtre (M.S.C. 5 YR 8/3) et de couleur rose (M.S.C. 10 YR 8/3) selon le degré de cuisson.

Mes. frag. de cm. 10x11, 6 à cm. 7, 7x6, 5 (Pl. XXIII).

Cat. 99

Fragment d'un col décoré de deux sillons au-dessous desquels un trait vertical est peint en rouge.

Argile fine, lissée de couleur claire (M.S.C. 10 YR 8/2) qui contient des paillettes de mica.

Mes. frag. cm. 12, 3x8, 4 (Pl. XXIII).

Amphore massaliète

Cat. 101

Partie supérieure d'une amphore comprenant le col, la bouche, le début de l'épaule et une anse. Le col est assez haut, cylindrique, court, pourvu d'un rebord à bourrelet massif, à profil arrondi. Une partie du rebord s'est detachée et laisse entrevoir le creux à l'intérieur.

Deux lignes incisées ornent le col sous le listel peu marqué.

L'argile est extrêmement micacée; de nombreuses écailles de mica sont mélangées à de gros nodules rouges. Elle est de couleur jaune clair (M.S.C. 10 YR 8/4).

H. tot. conservée cm. 16, 9

D. max. embouchure cm. 15 (Pl. XXII d; fig. 21,b).

Amphores de type massaliète

Elles sont représentées par un col entier et par quelques fragments de panse.

Cat. 102

Partie supérieure d'une amphore comprenant la bouche presque entière, le col, les attaches supérieures des deux anses et le début de l'épaule.

Le col est assez haut, cylindrique, la bouche est entourée d'un rebord à bourrelet massif obtenu par le reploiement vers l'extérieur de la paroi du col qui laisse subsister à l'intérieur du rebord un large creux. Listel bien marqué.

La pâte de couleur jaune clair (M.S.C. 10 YR 7/4), micacée, contient de gros nodules rouges.

H. conservée cm. 18, 7

D. max. embouchure cm. 14

H. col cm. 8, 7 (Pl. XXII c; fig. 21,a).

Sur le col, d'un seul côté, de légères traces d'un signe peint en rouge.

Les amphores de type chiote

Comme dans le bothros d'Eole elles sont les plus nombreuses et se divisent aussi en deux variantes.

De la première variante, celle sans engobe, à pâte jaune clair nous avons 44 fragments plus gros, qui comprennent une partie du rebord et du col, et 81 fragments plus petits de seuls rebords.

Au total 125 fragments.

Cat. 103

Fragment du col d'une amphore de la première variante conservant une partie du rebord et le début du col renflé sans anse. La pâte de couleur claire, rosée (M.S.C. 7, 5 YR 8/4) est bien cuite et faite d'une argile micacée.

Mes. frag. cm. 10, 4x13 (Fig. 20, g; Pl. XXIII)

D'autres nombreux fragments de col, avec ou sans listel sont identiques au précédent.

Cat. 104a

Fragment du col d'un autre exemplaire conservant la partie du rebord qui laisse subsister à l'intérieur un large creux. Pâte idem.

Mes. fragment cm. 15x7, 5 (Pl. XXIII vu de l'intérieur et de l'extérieur).

Cat. 104b

Fragment comprenant la partie inférieure de l'anse d'une amphore idem, sous laquelle sont peintes en rouge les deux lettres M. E.

L'argile est claire, micacée et contient de gros nodules rouges (M.S.C. 7.5 YR 8/4).

Mes. frag. cm. 10, 3x8, 5 (Pl. XXII b).

De la deuxième variante à pâte rouge et engobe blanc, nous avons au total 62 fragments qui nous donnent le profil du col sans compter ceux qui appartiennent uniquement à la panse (Pl. XXIII).

Cat. 105

Fragment du col d'une amphore conservant la moitié du rebord, une partie du col et l'attache supérieure d'une anse de section ovale. Rebord à bourrelet massif à large creux souligné par un listel bien marqué.

La pâte de couleur rougeâtre (M.S.C. 5 YR 6/3) contient de petites particules noires et blanches, peu de mica.

La surface est rugueuse au toucher et est revêtue d'un engobe blanchâtre (M.S.C. YR 8/2-8/3) obtenu par immersion en tenant l'amphore renversée, d'où les bavures d'engobe à l'intérieur du col

Mes. frag. cm. 10, 8x13, 5 (Pl. XXIII; Fig. 20 d).

Cat. 106

Fragment du rebord à bourrelet massif obtenu par le reploiement vers l'extérieur de la paroi du col, sans creux, mais souligné par un listel bien marqué.

Pâte de couleur idem, engobe idem.

Mes. frag. cm. 5, 5x10, 8 (Pl. XXIII; Fig. 20 e).

Cat. 107

Fragment du rebord à bourrelet massif d'une autre amphore identique à la précédente, conservant l'attache supérieure d'une anse de section ovale. Pâte idem.

Mes. frag. cm. 8x7, 9 (Pl. XXIII; Fig. 20 f).

Deux autres fragments du même type.

Les amphores étrusques

Cat. 100

Fragment d'un bord à lèvre à bourrelet de section ovale «en amande» dépourvu de listel, col à peine marqué.

La pâte est rougeâtre à l'extérieur, plus foncée à l'intérieur parce que mal cuite; elle contient de gros dégraissants.

La surface externe est revêtue d'un engobe jaune clair (M.S.C. 10 YR 8/3) étalé au pinceau.

Mes. frag. cm. 6x14,1 (Pl. XXIII; fig. 20 c).

Le sanctuaire de la propriété Maggiore

Les fouilles du sanctuaire faites en 1956, et encore inédites, ont mis au jour les traces de deux autels.

Un plus grand, carré, mesurant 7m × 7m environ, duquel il ne restait que les fondations (autel B) et que nous avons pu dater du IVème siècle av. J.-C. Cette datation est basée sur le matériel recueilli autour de l'autel.

Cet autel se superposait aux restes d'un deuxième autel (autel A), mieux conservé, de forme plus allongée, bien daté du Vème siècle par un lambeau de terrain en place qui constituait le sol originel au niveau de sa base.

Pour la construction de l'autel B on a dû effectuer de gros travaux de remblayage, ensevelissant l'autel A. Ce remblayage ne forme pas une couche parfaitement homogène. En effet nous y trouvons des matériaux qui remontent au début du Vème siècle, mélangés à d'autres qui datent du IVème.

Tout autour de l'autel B, dans cette couche de remblayage, on a creusé des fosses votives, dont une très grande, qui nous a donné une masse de matériel: terres cuites figurées et poterie.

Les terres cuites sont nombreuses, de types votif (1) et théâtral (2).

Ces dépôts ne paraissent pas dépasser la fin du IVème siècle.

En effet nous n'avons aucune terre cuite de la Comédie Nouvelle ni de fragment de poterie polychrome du Peintre de Lipari et des maîtres, ses contemporains, qui travaillent au cours de la première moitié du IIIème siècle.

Les amphores que nous étudions proviennent de cette couche de remblayage et sont donc antérieures à la fin du IVème siècle av. J.-C.

Bibliographie:

L. BERNABÒ-BREA, **Lipari nel IV secolo a.C.**, *Kokalos* IV, 1958, p. 22, pl. 47; L. BERNABÒ-BREA, M. CAVALIER, **Il Castello di Lipari e il Museo Archeologico Eoliano**, Palerme, 1977, p. 89, fig. 145-151.

L. BERNABÒ-BREA, **Menandro e il teatro greco nelle terracotte liparesi**, Gênes, 1981, con Appendice II: M. CAVALIER, **Le terracotte liparesi di argomento teatrale e la ceramica. I dati di rinvenimento e la cronologia**, p. 298.

Les amphores corinthiennes

Cat. 108

Extrémité supérieure d'une amphore corinthienne de type A' qu'on peut dater de la moitié du Vème siècle av. J.-C.

La bouche, entourée d'un large rebord incliné de section triangulaire, conserve l'attache supérieure d'une des deux anses à section ronde et le début du col.

La pâte est de couleur blanchâtre (M.S.C. 10 YR 7/4) à fracture nette, contient des dégraissants invisibles à l'oeil nu.

La surface externe est recouverte d'un engobe de même couleur que la pâte, étalé au pinceau.

Nous observons encore la présence d'une ligne radiale incisée du côté droit de l'attache supérieure de l'anse.

H. conservée cm. 4, 8

D. embouchure: environ cm 13 (Pl. XXIV; fig. 22 c).

Cat. 109

Partie supérieure d'une amphore corinthienne A', comprenant le col, la bouche et le départ des deux anses. La bouche est entourée d'un large rebord facetté, à section triangulaire, rabattu vers l'extérieur qui se déforme pour épouser l'attache supérieure des anses qu'il recouvre complètement sans laisser d'espace. Col cylindrinque plutôt haut, dégagé. Les anses sont massives, à section ronde.

La pâte de couleur rosée (M.S.C. 10 YR 8/2-8/3) est assez dure et contient beaucoup de dégraissants rouges de toutes dimensions.

La surface est revêtue d'un engobe d'argile diluée de même couleur que la pâte, passé au pinceau.

H. conservée cm. 15

D. embouchure cm. 16, 4 (Pl. XXIV; fig. 22 a).

Cat. 110

Grande bouche ovale appartenant à une amphore corinthienne de type B entourée d'un bord de section triangulaire rabattu vers l'extérieur, qui se déforme pour épouser l'attache supérieure des anses cassées et qu'il recouvre sans laisser d'espace.

La pâte est bien cuite, à fracture nette, elle contient des dégraissants invisibles à l'oeil nu, de couleur M.S.C. 10 YR 8/3.

La surface est revêtue d'un engobe d'argile diluée de même couleur que la pâte, passé au pinceau.

H. conservée cm. 3

D. cm. 14, 4 et 18 (Pl. XXIV).

Cat. 111

Fragment de la bouche idem, appartenant à une autre amphore corinthienne de type B.

Pâte et engobe idem. A l'intérieur nous observons les traces d'une substance noire dont était enduite l'amphore.

H. conservée cm. 6, 4

Larg. tot. cm. 15, 5 (Pl. XXIV).

Cat. 112, 113

Deux petits fragments de bouche déformée appartenant à des amphores identiques aux précédentes. La pâte et l'engobe sont identiques malgré une différence de ton due à la cuisson.

Mes. fragments: cm. 8, 2x4, 6 et 5, 5x3, 5 (Pl. XXIV).

Cat. 114

Fragment d'une amphore de type corinthien B à bouche ronde et une petite partie du col.

La bouche est entourée d'un bord de section triangulaire. La pâte est de couleur claire, rosée (M.S.C. 5 YR 8/4) et contient des inclusions invisibles à l'oeil nu.

La surface externe est revêtue d'un engobe d'argile diluée de même couleur que la pâte, étalé au pinceau.

Il conserve sur le col une grande M peinte en rouge foncé.

H. conservée cm. 8

D. embouchure cm. 15, 4 (Pl. XXIV; fig. 22 c).

Les amphores de type chiote

De nombreux fragments appartiennent aux deux variantes.

La première variante est représentée par 85 fragments de rebord, dont la base est soulignée par un listel plus ou moins marqué.

Cat. 115

Fragment du rebord massif d'une amphore de cette première variante, obtenu par reploiement vers l'extérieur de la paroi du col qui ne laisse subsister aucun creux et à la base duquel il n'y a pas de listel.

La pâte est jaune clair (M.S.C. 10 YR 7/6), bien cuite, à fracture nette. L'argile contient des paillettes de mica tandis que les inclusions ajoutées par la suite sont invisibles à l'oeil nu.

H. conservée cm. 6, 6

D. embouchure cm. 16

Larg. frag. cm. 12,2 (Pl. XXIV; fig. 22 h).

Cat. 116

Un fragment de col se distingue un peu des autres par son argile fortement micacée qui contient de gros nodules rouges. Ce sont deux éléments qui rapprochent cette amphore des massaliètes, bien que la couleur de l'argile et son épaisseur soient différentes.

Rebord massif souligné par un listel assez bien dégagé. Pâte de couleur M.S.C. 10 YR 8/4. A l'intérieur du col, sillons bien marqués.

H. conservée cm. 18

D. embouchure cm. 17, 8

H. col cm. 12,6 (Pl. XXIV; fig. 22 i).

De la deuxième variante à pâte rougeâtre et engobe blanc nous avons une trentaine de fragments.

Cat. 117 et 118

Deux fragments du rebord et le début de l'épaule appartiennent à la deuxième variante.

La bouche est entourée d'un rebord massif souligné par un listel bien marqué. La pâte est de couleur rouge (M.S.C. 5 YR 6/3) et plus foncée (M.S.C. 5 YR 8/4). Elle contient de petites particules noires et blanches. Nous notons peu de mica dans l'argile.

La surface est rugueuse au toucher et est revêtue d'un engobe blanc (M.S.C. 10 YR 8/2-8/3) obtenu par immersion de l'amphore en la tenant renversée par le fond, d'où les bavures d'engobe à l'intérieur du col.

117) cm. 5,5 × 6,4 (Pl. XXIV et fig. 22 f)

118) cm. 13,8 × 5,7 (Pl. XXIV; fig. 22 g).

Les amphores du type de la tombe 469

C'est un type nouveau qui apparaît dans ce gisement car nous ne l'avons ni dans le bothros d'Eole ni dans la décharge de Piazza Monfalcone.

Une tombe dans la nécropole en a donné un exemplaire assez complet et cette amphore est associée à un vase décoré dans le style de Gnathia le plus ancien; elle n'est donc pas antérieure à la deuxième moitié du IVème siècle av. J.-C.

Ce nouveau type d'amphore est de loin le plus nombreux dans la couche de remblayage, représenté par plus de 200 fragments de rebord.

C'est peut-être le type qui a remplacé dans l'usage courant les amphores de type chiote.

Le nombre même des fragments nous prouve que c'est un type qui a duré longtemps: en effet entre les amphores de type chiote et cette nouvelle classe nous n'avons aucun type intermédiaire.

Il est difficile jusqu'à présent de préciser le moment où cette substitution a eu lieu. Peut-être au début du IVème siècle car nous en trouvons déjà quelques exemplaires dans la décharge qui s'est formée aux pieds de la nouvelle enceinte de fortification de la ville dans la «contrada Diana».

Cette enceinte pourrait être datée entre la fin du Vème et le début du IVème siècle av. J.-C.

Ce sont des amphores à panse ovoïde, à col court, le profil du bord imite de très loin celui des amphores corinthiennes de type B. L'anse est de section ovale, peu développée par rapport à l'amphore.

Comme les amphores de type chiote, ce nouveau type se divise en deux variantes bien différentes, basées sur l'argile et sur l'engobe.

La première variante est faite d'une argile de couleur rose foncé (M.S.C. 5 YR 7/8) tandis que la surface externe est de couleur noisette sans engobe.

La deuxième variante est caractérisée par une argile rouge brique (M.S.C. 2.5 YR 5/8) et la surface externe est revêtue d'un engobe blanchâtre (M.S.C. 10 YR 8/2-8/3) uniforme, obtenu par immersion. Comme pour les amphores de type chiote, l'amphore était renversée en la tenant par le bouton final comme le prouvent les nombreuses bavures à l'intérieur du col et du rebord.

Cat. 119

Fragment du rebord d'une amphore qui est encore très proche de la deuxième variante des amphores de type chiote et qui pourrait marquer une transition entre ces dernières et le type de la tombe 469.

La bouche est entourée d'un rebord moins massif, plus allongé et aplati dans sa partie supérieure, souligné par un listel peu marqué.

La pâte est de couleur rouge (M.S.C. 5 YR 7/6), la surface externe est revêtue d'un engobe blanc jaunâtre (M.S.C. 10 YR 8/3)

Mes. fragment cm. 14, 6 de largeur

H. conservée cm. 4, 8

D. embouchure cm. 15 (Pl. XXIV; fig. 22 d).

Cat. 120

Un exemplaire de la première variante comprend plus de la moitié du col et du rebord. Sur la partie supérieure une lettre peinte en rouge (fig. 19 e) pourrait être une A, ou un Δ ou un Λ. Ce fragment conserve l'attache supérieure d'une des deux anses de section ovale allongée.

H. conservée cm. 8

D. cm. 16, 6 (Pl. XXIV; fig. 22 e).

Cat. 121

De nombreux fragments d'amphores appartiennent à la deuxième variante; on n'en a dessiné qu'un, mais il est identique à tous les autres.

La bouche est entourée d'un rebord à section triangulaire; elle conserve l'attache supérieure d'une anse ovale allongée.

La pâte, de couleur rouge brique (M.S.C. 2.5 YR 5/8), est à fracture nette. La surface externe est revêtue d'un engobe blanc (M.S.C. 10 YR 8/3).

H. conservée cm. 8, 1 et 6, 2

D. cm. 15 et 15, 8 (Pl. XXIV).

Les amphores étrusques

Le type classique est représenté par un seul fragment de rebord.

Cat. 122

Identique au profil de l'exemplaire de la t. 1890 (Fig. 11 a; pl. XV c, e). La lèvre à bourrelet de section ovale est revêtue d'un engobe jaune clair (M.S.C.10 YR 8/3).

Mes. fragment cm. 7, 2x8, 5 (Pl. XXIV).

Cat. 123

Un autre fragment à rebord plus bas et plus arrondi est fait dans la même argile de couleur noirâtre à l'intérieur et noisette foncé en surface. Cette différence est due à la cuisson. Même engobe de couleur jaune clair passé au pinceau.

Mes. fragment cm. 7, 4x5 (Pl. XXIV).

Trouvailles sous-marines

Filicudi   **Capo Graziano**   **Epave G**

Amphore corinthienne type A'   (Pl. XXV, a; fig. 23 a)

En 1975 le «Centro Sperimentale di Archeologia Marina» d'Albenga, lors d'une campagne de fouille autour de l'épave F nous a remis une amphore corinthienne.

Mr. Lamboglia nous dit alors qu'il s'agissait d'une amphore qui pouvait être associée à d'autres du même type, encore au fond de la mer. Pour le moment c'est une pièce isolée.

Cat. 124

L'amphore à panse ovoïde, plus allongée que les deux exemplaires très semblables des tombes 1102 et 353 (Pl. III), a un col haut cylindrique.

La bouche est entourée d'un assez large bord incliné, de section triangulaire. Les anses sont massives, à section ronde, le fond se termine par un vrai bouton.

C'est le type de couleur jaunâtre, très altérée par les concrétions marines. La surface externe était recouverte d'un engobe d'argile diluée couleur claire, rosée qui aujourd'hui a disparu.

H. tot. cm. 72
D. max. embouchure cm. 16
D. max. panse cm. 38
H. col cm. 16
H. pied cm. 2, 4
INV. n° 14743

Filicudi   **Capo Graziano**

Amphore corinthienne type B   (Fig. 23 b)

En 1963 les moniteurs du Club Méditerranée, lors des plongées faites de commun accord avec la Surintendance aux Antiquités de Syracuse, avaient remis au Musée Eolien un lot de matériaux dont cette amphore:

Cat. 125

Partie supérieure d'une amphore corinthienne comprenant la bouche, le col, les deux anses et une partie de la panse.

Le col est court, la bouche est entourée d'un bord, plus haut que celui de l'exemplaire t. 1267, de section triangulaire (Pl. IV a,e).

C'est le type B de C. Koehler.

Les anses de section ovale sont appliquées sous le bord, mais sont plus dégagées et ne déforment pas la bouche comme nous l'avons vu dans certains cas (t. 1267, et les deux exemplaires du «terreno Maggiore»).

La pâte est de couleur claire, la surface externe est revêtue de concrétions marines qui empêchent toutes descriptions et analyses à l'oeil nu.

H. conservée cm. 20
D. max. bouche cm. 16, 4
H. col cm. 11, 2
INV., n° 14744

Lipari   **Monte Rosa**   **Fouilles E. Ciabatti 1978**

Amphore de type massaliète

Cat. 126

Partie supérieure d'une amphore de type massaliète comprenant la bouche, le col, les anses en partie cassées.

Le col est court, le bord à bourrelet est massif, souligné par un listel bien marqué.

La pâte de couleur jaune clair (M.S.C. 10 YR 7/4) est micacée bien que les incrustations empêchent de voir les inclusions.

H. conservée cm. 11,5
D. max. embouchure cm. 16
H. col cm. 7
INV. n° 13075 (Pl. XXV g).
Inédite.

Lipari «Secca di Capistello»

Amphores de type chiote   **Hors de l'épave**

Cet exemplaire a été trouvé avec d'autres matériaux d'époques les plus différentes, sur le fond d'une baie protégée dans laquelle les navires s'abritaient.

Il s'agit donc d'une décharge de matériel jeté par ces bateaux, non loin de la fameuse épave de la «Secca di Capistello».

Cat. 127

Partie supérieure d'une amphore de type chiote comprenant les deux anses, le col et l'embouchure, cassée à la hauteur de l'épaule.

Col haut, dégagé, renflé; rebord à bourrelet souligné d'un listel bien marqué.

L'argile est de couleur M.S.C. 7, 5 YR 6/4 et contient de minuscules inclusions de mica.

Le rebord de section «en amande», le col haut, rapprochent cet exemplaire de celui de la tombe 352 de la nécropole de Lipari. **(cat. 25)**

H. conservée cm. 24, 5

D. embouchure max. cm. 15, 5

H. col. cm. 16

INV. n° 14702; (Pl. XXV f; fig. 23 d).

Cette amphore appartient à la première variante de type chiote.

Lipari   **Monte Rosa**

En décembre dernier un pêcheur a pris dans les filets deux parties supérieures d'amphores dont une DR 1 D et l'autre de type chiote.

Ici aussi il s'agit d'une décharge portuaire qui a donné un abondant matériel de toutes les époques, située tout près l'épave d'epoque préhistorique du Monte Rosa.

Cat. 128

Partie supérieure d'une grande amphore, comprenant une anse, le col et l'embouchure.

Col plutôt haut, dégagé, légèrement bombé, rebord à bourrelet massif, sans listel.

Les parois de l'amphore sont très épaisses (cm. 1) à la hauteur de l'épaule.

L'argile est de couleur jaunâtre (M.S.C. 7.5 YR 6/4), à fracture nette, très dépurée.

Cette amphore appartient à la première variante du type chiote.

H. conservée cm. 28, 5

D. max. embouchure cm. 17, 5

H. col cm. 12, 6

INV. n° 15039 (Pl. XXV e).

Inédite.

Amphores du type de la tombe 469

Cat. 129

Partie supérieure d'une amphore bien conservée.

Elle conserve le col complet, les deux anses et le début de l'épaule qui s'élargit un peu en toupie.

Le rebord est plat, à section triangulaire, les anses sont de section ovale, le col est orné de trois sillons faits au tour.

Toute la surface est recouverte d'incrustations qui ne permettent pas de bien voir tous les détails des inclusions de l'argile, dont la couleur est plutôt claire.

H. conservée cm. 22
D. embouchure cm. 16, 2
INV. n° 12227 (Pl. XXV d; fig. 23 c).

Bibliographie: E. CIABATTI, **Relitto dell'età del bronzo rinvenuto nell'isola di Lipari. Relazione sulla prima e seconda campagna di scavo,** *Sicilia Archeologica,* a. XI, 1978, N. 36, p. 16-17 et fig. 9.

Lipari «Secca di Capistello»   **Hors de l'épave**

Cat. 130

Partie supérieure d'une amphore de type identique à la précédente: col complet, les deux anses et le début de l'épaule.

Le col assez haut se rétrécit vers la base, bord plat à section triangulaire.

L'argile de couleur M.S.C. 2.5 YR 5/6 contient de petites inclusions de sable noir, mais les incrustations empêchent de se rendre compte de tous les détails.

H. conservée cm. 28
D. bouche cm. 16, 5
INV. n° 14701 (Pl. XXV c).

Filicudi   **Epave F**

Cat. 131

Amphore de forme ovoïdale allongée, col haut, bouche entourée d'une lèvre peu inclinée à section triangulaire massive et une pointe bien dégagée. Les anses sont cassées.

La pâte est de couleur rougeâtre (M.S.C. 5 YR 6/3) foncée et contient de petites particules noires et blanches.

La surface est rugueuse au toucher et est revêtue d'un engobe blanchâtre (M.S.C. 10 YR 8/2-8/3) obtenu par immersion en tenant l'amphore renversée par la pointe.

H. cm. 72

D. embouchure cm. 17,5

H. col. cm. 14,1

INV. n° 14731 (Pl. XXV b).

Quelques conclusions

Grâce à l'abondance du matériel dont nous disposons nous pouvons faire quelques observations:

— **Les amphores corinthiennes du type A** à large bord plat n'apparaissent que dans la nécropole. Le fait qu'elles sont absentes dans le remplissage du bothros d'Eole, qui commence certainement dès la moitié du VIème siècle, pourrait faire penser qu'elles ne vont pas au delà, au point de vue chronologique, des premières décades de la vie de la Lipari cnidienne. Il s'agirait donc dans la nécropole de tombes d'enfants de la première génération des colonisateurs.

Au contraire les types A' et B, plus évolués, sont relativement nombreux dans tous les gisements que nous avons considérés.

Les rapports avec Corinthe ont certainement duré de la fondation de Lipari jusqu'au IVème siècle av. J.-C. (1)

Des amphores de type massaliète, une seulement (**Cat. 101**), à cause de la pâte très micacée, peut être sûrement attribuée à une fabrique de Marseille. Les autres qui en imitent la forme peuvent appartenir à d'autres ateliers.

Elles ne sont pas très nombreuses et n'offrent pas de repère chronologique bien défini.

---

(1) Dans la nécropole de Lipari nous avons d'autres importations corinthiennes. Il s'agit d'un certain nombre de gros récipients (H. 55, 5; D. 30, 8) en forme de stamnos, très souvent munis de leur couvercle qui sont identiques aux exemplaires de l'Agora d'Athènes publiés par L. Talcott, **The Athenian Agora,** vol. XII, **Black and plain pottery of the 6th, 5th and 4th century b.C.,** 1979, pl. 68, n° 1542 et 1546. Cfr. **Meligunìs-Lipàra II, La necropoli greca e romana della contrada Diana,** Palerme, 1965, pl. LIV, 4: t. 369; pl. LIV, 7: t. 419).

Ces importations ont tout de suite donné lieu à des imitations locales (cfr. **Meligunìs-Lipàra II,** pl. LIII, 2: t. 135; LIII, 5: t. 332).

— On constate au contraire une grande diffusion **des amphores de type chiote** (2) qui, dans tous les gisements, forment de beaucoup la masse prédominante.

Les mobiliers avec lesquels elles sont associées dans la nécropole nous permettent de les dater à partir du milieu du Vème siècle, mais il est probable que leur présence à Lipari avait commencé bien auparavant. Le fait de les trouver au pied du mur d'enceinte de Piazza Monfalcone, daté d'environ 500 av. J.-C., nous confirme cette hypothèse.

Ces amphores ont dû continuer encore longtemps et arrivent peut-être au début du IVème siècle, cela au moins pour la variante à pâte rouge et engobe.

En effet dans un sondage contre le mur d'enceinte de la «contrada Diana» (la deuxième enceinte de Lipari), effectué ces jours derniers, nous avons trouvé quelques fragments d'amphores de type chiote à pâte rouge et engobe associés à des fragments d'amphores du type de la tombe 469.

Les amphores de type chiote ne sont pas abondantes seulement à Lipari, mais aussi dans toute la Sicile où on les trouve dans de très nombreux gisements.

— **Les amphores du type de la tombe 469** trouvées dans le sanctuaire du «terreno Maggiore» et dans la nécropole peuvent être considérées de transition entre les dernières amphores de type chiote et les proto-italiotes qui se développeront à partir du milieu du IVème siècle av. J.-C.

Il est intéressant d'observer que les amphores de l'épave F de Filicudi, datées de la première moitié du IIIème siècle av. J.-C., sont encore très proches de l'exemplaire de la tombe 469 au moins pour le rebord plat à section triangulaire.

La date de ce naufrage est donnée par les vases à vernis noir qui sont associés aux amphores, vases qui rappellent ceux qui ont été trouvés avec les poteries polychromes du Peintre de Lipari dans la nécropole de la «contrada Diana».

---

(2) On a récemment soulevé des doutes sur la réelle provenance de Chios des amphores à col renflé trouvées en Occident, appelées «chiote». Cette dénomination introduite par F. Villard dans la publication des céramiques archaïques de Megara Hyblaea, puis par nous-même en *Meligunìs-Lipàra II* et par de nombreux autres auteurs, est devenue courante.

La dénomination de «pseudo-chiote» à laquelle nous avions pensé, apparaît en réalité trop tranchante (comme nous le fait observer le même F. Villard avec qui nous avons eu la chance de discuter le problème) car elle exclurait radicalement une provenance chiote qui n'a jamais été prouvée et qui n'est pas impossible.

D'autre part nous ne devons pas oublier la large exportation du vin de Chios à l'époque archaïque qui est attestée par les sources littéraires.

Nous avons donc préféré adopter la dénomination «de type chiote» qui n'affirme ni ne nie la possibilité d'une provenance de Chios en espérant que la réelle origine de ces amphores sera un jour connue à travers l'examen des argiles et des dégraissants.

Les amphores de cette épave nous prouvent l'évolution et la continuité des formes jusqu'au IIIème siècle av.J.-C.

Le même phénomène se reproduit en Calabre à Centocamere et en Sicile, à Tindari et à Gela (3).

— **Les amphores étrusques** sont peu nombreuses. Cinq dans la nécropole, un seul fragment de rebord dans la décharge de Piazza Monfalcone, deux fragments de rebords dans la couche de remblayage du sanctuaire.

Dans la nécropole elles s'échelonnent sur un temps assez long: de la deuxième moitié du VIème siècle à la moitié du Vème siècle av. J.-C.

— **Les amphores puniques** sont très rares à Lipari.

Deux exemplaires proviennent de la nécropole et sont chronologiquement très éloignés l'un de l'autre.

---

(3) V. A. **Locri Epizefiri. Ricerche archeologiche su un abitato della Magna Grecia, Mostra documentaria,** Locri, Ottobre 1983, Luciana Manzo, **Le anfore,** III, 4.3, p. 39, pl. XI, 16.

APPENDICE I

TABLEAUX RÉCAPITULATIFS

TYPES	NECROP. DIANA	BOTHROS	P. MONFALCONE	SANCTUAIRE TER. MAGGIORE	TROUVAILLES SOUS-MARINES	DATATION
AMPHORES CORINTHIENNES						
Type A	Cat. 1; 2; 3; 4					Première moitié VIᵉ siècle av. J.-C.
Type A'	Cat. 5; 6; 7; 8	Cat. 45 à cat. 52	Cat. 94; 95; 96	Cat. 108; 109	Cat. 124	Moitié Vᵉ siècle av J.-C.
Type B	Cat. 9	Cat. 53; 54; 55; 56; 57; 58; 59	Cat. 97; 98; 99	Cat. 110; 111; 112; 113; 114	Cat. 125	Moitié Vᵉ siècle av. J.-C.
AMPHORES DE TYPE MASSALIÈTE						
	Cat. 10; 11; 12; 13; 14; 15; 16; 17; 18; 19		Cat. 101; 102		Cat. 126	Vᵉ siècle av J.-C.
AMPHORES DE TYPE CHIOTE						
Type A		Cat. 62 à cat. 81 + 45 fragments	Cat. 103; 104 + 123 fragments	Cat. 115; 116; + 83 fragments	Cat. 127; 128	Moitié Vᵉ-début IVᵉ siècle av. J.-C.
Type B	Cat. 20 à cat. 35	Cat. 82 à cat. 93 + 12 fragments	Cat. 105; 106; 107 + 59 fragments	Cat. 117; 118 + 28 fragments		Début IVᵉ siècle av J.-C.
AMPHORES DU TYPE DE LA TOMBE 469						
Type A				Cat. 119; 120 + 79 fragments		
Type B	Cat. 36; 37			Cat. 121 + 119 fragments	Cat. 129; 130	Moitié IVᵉ siècle av J.-C.
AMPHORES ÉTRUSQUES						
	Cat. 38 à cat. 42		Cat. 100	Cat. 122; 123		Vᵉ siècle av. J.-C.
AMPHORES PUNIQUES						
	Cat. 43; 44					Cat. 43 Vᵉ siècle av. J.-C.; cat. 44 IVᵉ siècle av. J.-C.

TABLEAU RÉCAPITULATIFS
PAR TYPES D'AMPHORES

TOMBES	CORINTH. A	CORINTH. A'	CORINTH. B	TYPE MASSALIÈTE	TYPE CHIOTE	TYPE T. 469	ÉTRUSQUE	PUNIQUE	RÉF. BIBLIOGRAPH.	RÉF. PLANCHES ET FIGURES
T. 395	Cat. 1								T. inédite	Fig. 3a; pl. IV d
T.392	Cat. 2								M.L.II, p. 129, tav. XLI, 1	Fig. 2b; pl. II b
T. 356	Cat. 3								M.L.II, p. 129, tav. XLI, 3	Fig. 2a; pl. II a
T. 1062	Cat. 4								T. inédite	Fig. 3b; pl. IV f
T. 1102		Cat. 5							T. inédite	Fig. 4a; pl. III a
T.353		Cat. 6							M.L.II, p. 128, tav. 128	Fig. 4b; pl. III b-c
Inv. 15032		Cat. 7							T. inédite	Fig. 3c; pl. IV c
T. 1410		Cat. 8							T. inédite	Fig. 3d; pl. IV b
T. 1267			Cat. 9						T. inédite	Fig. 4c; pl. IV a,e
T. 357				Cat. 10					M.L.II, p. 129, tav. XLI, 6	fig. 5b; pl. V a
T. 358				Cat. 11					M.L.II, p. 129, tav. XLI, 4	fig. 5a; pl. V b
T.359				Cat. 12					M.L.II, p. 129	Fig. 6c; pl. VI a
T.360				Cat. 13					M.L.II, p. 129, tav. XLI, 7	Fig. 6b; pl. VI d
T.361				Cat. 14					M.L.II, p. 129, tav. XLI, 9	Fig. 7b; pl. VI b
Inv. 15033				Cat. 15					T. inédite	Fig. 5c; pl. V d
Inv. 15036				Cat. 16					T. inédite	Fig. 7c; pl. VI c
Inv. 15034				Cat. 17					T. inédite	Fig. 6a; pl. V c
T. 2089				Cat. 18					T. inédite	Fig. 7a; pl. VI e
T. 1341				Cat. 19					T. inédite	
T. 3					Cat. 20				M.L.II, fig. 1; p. 5	
T. 225					Cat. 21				M.L.II, p. 75	Pl. XII c
T. 398					Cat. 22				M.L.II, p. 140-141, tav. LII, 1	Fig. 8c; pl. VII a,c
T. 349					Cat. 23				M.L.II, pp. 127 et 209, tav. XLI, 8	Fig. 8 b; pl. X c, d; XI a
T. 349-bis					Cat. 24				M.L.II, p. 129	
T. 352					Cat. 25				M.L.II, pp. 128 et 209	Fig. 9a
T. 354					Cat. 26				M.L.II, p. 128	Pl. XII a
T. 418					Cat. 27				M.L.II, p. 151, tavv. LII, 4; LIII, 4	Fig. 8a; pl. IX a; XI b
T. 424					Cat. 28				M.L. II	Pl. IX b, c
T. 427					Cat. 29				M.L.II, p. 153, tav. XLVII, 7	Pl. X a, b
T. 1525					Cat. 30				T. inédite	Fig. 9b; pl. XII b
T. 1889					Cat. 31				T. inédite	Pl. VIII a
T. 1901					Cat. 32				T. inédite	Pl. VIII b, c
Inv. 15038					Cat. 33				T. inédite	
Inv. 15037					Cat. 34				T. inédite	Pl. XII d
Inv. 15035					Cat. 35				T. inédite	Pl. VII b
T. 469						Cat. 36			M.L.II, p. 169, tav. CXXXIX, 4	Fig. 10; pl. XIII b
T. 1424						Cat. 37			T. inédite	Fig. 11; pl. XIII a
T. 1212							Cat. 38		T. inédite	Fig. 12a; pl. XIV a
T. 1210							Cat. 39		T. inédite	Pl. XIV c
T. 2082							Cat. 40		T. inédite	Fig. 13b; pl. XV a, b, d
T. 1890							Cat. 41		T. inédite	Fig. 13a; pl. XV c, e
T. 355							Cat. 42			Fig. 12b; pl. XIV b, d
T. 1106								Cat. 43	T. inédite	Fig. 14a; pl. XVI a
T. 103								Cat. 44	M.L.II, p. 38, fig. 6	Fig. 14b; pl. XVI b

NÉCROPOLE DE LA ''CONTRADA DIANA''

APPENDICE II

MODÈLES DE FICHES
"AMPHORES"
(en français et en italien)

Pays
 	
Province ou Département
 	
Surintendance
ou Circonscription
 	
Commune
 	
Lieu-dit
	Type de gisement (nécropole, habitat, épave, etc.)
	
	Datation par le données de fouilles
	
	Fondement de cette datation (fossile-directeur, donnée hist.)
		Lieu de conservation
		
		N° d'inventaire:
		   musée
		   fouille
		   RA («Catalogo» italien)
		
		Date et responsable de la fouille
			L'amphore entre-t-elle dans une catégorie définie par C.J.B. Si oui, laquelle?	N° Catalogue C.J.B.

			Nom de l'auteur de la fiche et date	
DESSINS (1/5) anse, lèvre, pied (1/1) (lieu d'archivage de l'original et N°)		PHOTOS (1/5) (lieu d'archivage et N° inv. négatif et éventuellement positif si le N° est différent)	Bibliographie relative à l'objet	

FICHE "AMPHORES"
(recto)

PÂTE	CARACTÉRISTIQUES PARTICULIÈRES	capacité (litres)
couleur (Cailleux Taylor)	(traces de doigts, de tour, déformations, mode d'attache des anses, autres)	
		traces de contenu
type de fracture		
		traces d'enduit à l'intérieur
INCLUSIONS:		type de fermeture
variétés (description libre)		
		MESURATIONS (mm)
		h. tot. conservée
dimensions		
		∅ max. embouchure
densité		
		∅ max. panse
ASPECT EXTÉRIEUR (argile/revêtement):		
		h. col
	ÉPIGRAPHIE et MARQUES DIVERSES: peintes incisées imprimées autres	
		∅ col: haut
		bas
DÉCOR:		
	position	h. pied
	texte, motif ou signe	∅ pied: haut
		bas
OBSERVATIONS:	interprétation	
		point d'attache des anses
	dimensions (calque/photo)	
		état de conservation (fragmentaire, complet, intact, restauré)

FICHE "AMPHORES"
(verso)

Nazione	Provenienza del ritrovamento (necropoli, abitato, relitto, ecc.)	Luogo di conservazione	L'anfora rientra in una categoria definita dal C.J.B. In caso affermativo, quale?	N° Catalogo C.J.B.
Provincia o Dipartimento				
Soprintendenza o Circoscrizione	Datazione sulla base dei dati di scavo	N° di inventario museo scavo RA		
Comune	Elementi su cui si basa questa datazione (fossile guida, dato storico, ecc.)	Data e responsabile dello scavo	Nome dell'autore della scheda e data	
Località				

DISEGNI (1/5) ansa, labbro, piede (1/1)	(luogo di archivio dell'originale e N°)	FOTOGRAFIE (1/5)	(luogo di archivio e N° inv. del negativo e eventualmente del positivo se il N° è diverso)	Bibliografia relativa all'oggetto

FICHE "AMPHORES"
(recto)

IMPASTO colore (Cailleux Taylor) tipo di frattura	CARATTERISTICHE PARTICOLARI (tracce di dita, di tornio, deformazioni, modo di attaccatura delle anse, ecc.)	capacità (litri) tracce di contenuto tracce di resina all'interno
INCLUSI: varietà (descrizione libera)		tipo di chiusura
		MISURE (mm) h. tot. conservata
dimensioni		$\emptyset$ max. bocca
densità		$\emptyset$ max. corpo
ASPETTO ESTERIORE (argilla/rivestimento):		h. collo
	EPIGRAFIA e SEGNI DIVERSI: dipinti incisi impressi vari	$\emptyset$ collo: sup. inf.
DECORAZIONE	posizione	h. piede
	testo, motivo o segno	$\emptyset$ piede: sup. inf.
OSSERVAZIONI:	interpretazione	punto di attaccatura delle anse
	dimensioni (calco/fotografia)	stato di conservazione (frammentario, completo, intatto, restaurato)

FICHE "AMPHORES"
(verso)

PLANCHES

Pl. I. Lipari. Nécropole. Vue d'ensemble de la tranchée XXII avec des tombes du Vème et du IVème siècle av. J.-C.

Au centre, les deux amphores de type chiote qui font partie du mobilier funéraire des tombes 424 (à gauche) et 418 (à droite). **Cat. 27 et 28.**

Pl. II. Nécropole. Amphores corinthiennes A des tombes 356 (**cat. 3**) et 392 (**cat. 2**). (Cfr. fig. 2 a-b).

PL. II

Pl. III. Nécropole. Amphores corinthiennes A'. a) tombe 1102 (**cat.5**); b), c) tombe 353 (**cat. 6**) et son mobilier funéraire. (Cfr. fig. 4 a-b)

a

b

c

Pl. IV. Nécropole. Amphores corinthiennes. a), e) type B: tombe 1267 (**cat. 9**) cfr. fig. 4c; b) c) type A' évolué: tombe 1410 (**cat. 8**) et inv. 15032 (**cat. 7**) cfr. fig. 3 d, c; d), f) type A inv. 15031 (**cat. 1**) et tombe 1062 (**cat. 4**). Cfr. fig. 3 a-b.

Pl. V. Nécropole. Amphores de type massaliète. a) tombe 357 (**cat. 10**) cfr. fig. 5 b; b) tombe 358 (**cat. 11**) cfr. fig. 5 a; c) inv. 15034 (**cat. 17**); d) inv. 15033 (**cat. 15**) cfr. fig. 5 c; e) détail du signe incisé, inv. 15033.

10

11

a

b

17

15

15

Pl. VI. Nécropole. Amphores de type massaliète. a) tombe 359 (**cat. 12**); b) tombe 361 (**cat. 14**); c) inv. 15036 (**cat. 16**); d) tombe 360 (**cat. 13**); e) tombe 2089 (**cat. 18**)

12 14 16

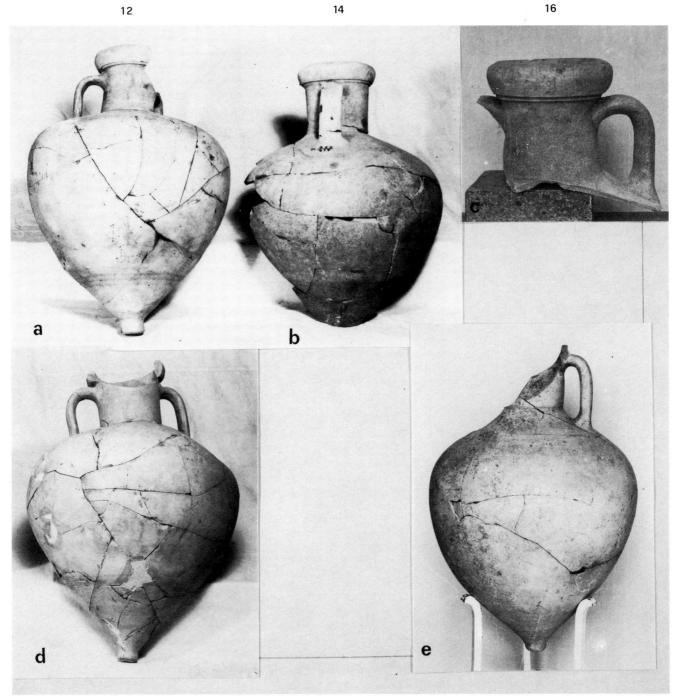

a

b

c

d

e

13 18

Pl. VII. Nécropole. Amphores de type chiote. a), c) tombe 398 (**cat. 22**) et son mobilier funéraire; b) inv. 15035 (**cat. 35**)

22

31

a

b

c

22

Pl. VIII. Nécropole. Amphores de type chiote a) t. 1889 (**cat. 31**); b), c) tombe 1901 (**cat. 32**) et détail des signes incisés.

31 32

32

Pl. IX. Nécropole. Amphores de type chiote: a) tombe 418 (**cat. 27**). Cfr. fig. 8 a; b), c) tombe 424 (**cat. 28**) et son mobilier.

27

28

a

b

c

Pl. X. Nécropole. Amphores de type chiote. a), b) tombe 427 (**cat. 29**) et son mobilier; c), d) tombe 349 (**cat. 23**) et détail du signe incisé. Cfr. fig. 8 b.

29 29 23

23

Pl. XI. Nécropole. L'amphore de type chiote de la tombe 349 (**cat. 23**) cfr. pl. X c, d, superposée à la tombe «a cappuccina» 353 du Vème siècle av. J.-C.; b) mobilier de la tombe 418. Cfr. pl. IX, a.

23

Pl. XII. Nécropole. Amphores de type chiote. a) tombe 354 (**cat. 26**), b) tombe 1525 (**cat. 30**); c) tombe 225 (**cat.21**); d) inv. 15037 (**cat. 34**).

26 30 21

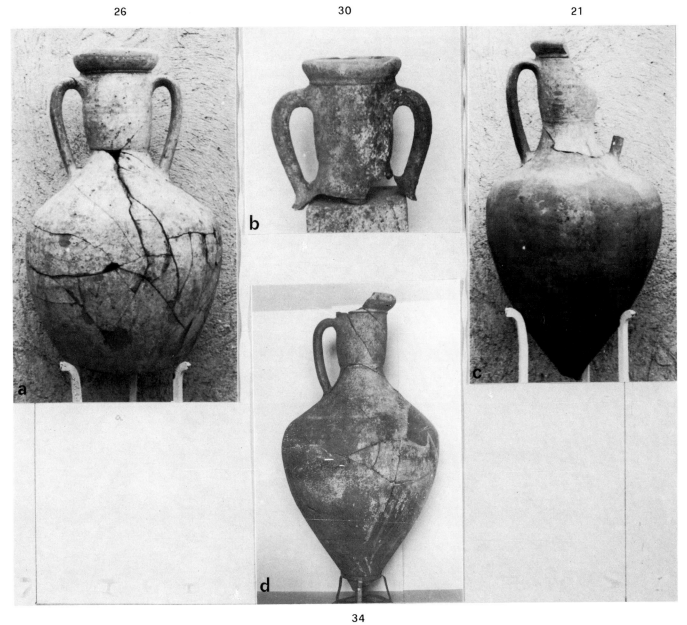

34

Pl. XIII. Nécropole. Amphores du type de la tombe 469. a) tombe 1424 (cat. 37), cfr. fig. 11; b) tombe 469 (cat. 36) cfr. fig. 10.

37

36

a

b

Pl. XIV. Nécropole. Amphores étrusques. a) tombe 1212 **(cat. 38)** cfr. fig. 12 a; b); d) tombe 355 **(cat. 42)** cfr. fig. 12 b et son mobilier; c) tombe 1210 **(cat. 39)**.

38

42

a

b

c

d

39

42

Pl. XV. Nécropole. Amphores étrusques. a), d) tombe 2082 (**cat. 40**) cfr. fig. 13 b et son mobilier; b) la même en cours de fouille; c), e) tombe 1890 (**cat. 41**) cfr. fig. 13 a et son mobilier.

40

41

40

a

b

c

d

e

Pl. XVI. Nécropole. Amphores puniques. a) tombe 1106 (cat. 43) cfr. fig. 14 a; b) tombe 103 (cat. 44) cfr. fig. 14 b; c) mobilier funéraire de la tombe 1106.

43

44

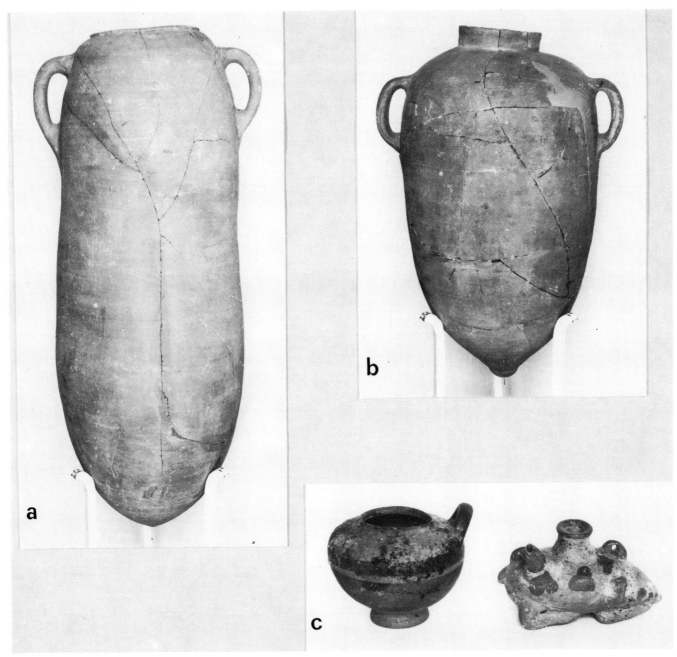

a

b

c

Pl. XVII. Bothros d'Eole. Fragments d'amphores: a-c) corinthiennes A'; d-j) de type chiote. a) **cat. 45,** cfr. fig. 16 a; b) **cat. 46;** c) **cat. 47;** d) **cat. 64;** e) **cat. 63;** f), h), i), **cat. 62;** j) **cat. 82;** g) **cat. 65,** cfr. fig. 18 a.

a   b   c

d   e   f   g

h   i   j

Pl. XVIII. Bothros d'Eole. Fragments d'amphores corinthiennes de type A' et de type B. **cat. 53** cfr. fig. 17; **cat. 55** cfr. fig. 16 e; **cat. 54** cfr. fig. 16 b.

Pl. XIX. Bothros d'Eole. Fragments d'amphores de type chiote. Première variante.
cat. 78 cfr. fig. 18 d; **cat. 71** cfr. fig. 18 e; **cat. 75** cfr. fig. 18 f; **cat. 74** cfr. fig. 18 g.

Pl. XX. Bothros d'Eole. Fragments d'amphores de type chiote.
Deuxième variante. **cat. 86** cfr. fig. 18 c.

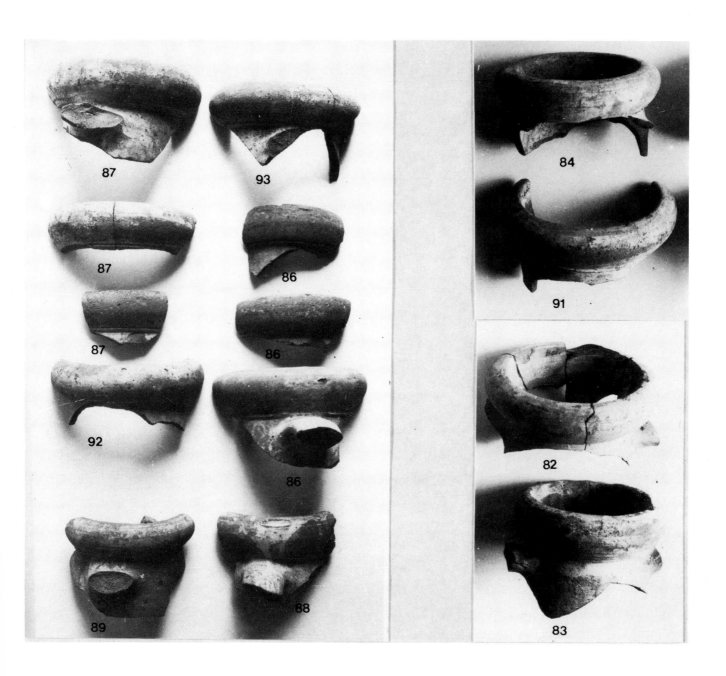

Pl. XXI. Lipari. Piazza Monfalcone. Vue panoramique de la fouille 1954. Au centre la nécropole ausonienne II (XII-XI siècle av. J.-C.) avec des inhumations dans les pithoi et des incinérations dans les situles.

En haut, le mur polygonal d'enceinte de la ville (fin VIème début Vème siècle av. J.-C.) au pied duquel était la décharge.

Pl. XXII. Lipari. Piazza Monfalcone. Décharge au pied du mur polygonal. a) fragments de vases attiques à figures noires et à figures rouges; b) amphore de type chiote avec signe ME peint en rouge (**cat. 104 b**); c-d) amphores massaliète et de type massaliète. c) **cat. 102;** d) **cat. 101.** Cfr. fig. 21 b, a.

a

b

c

d

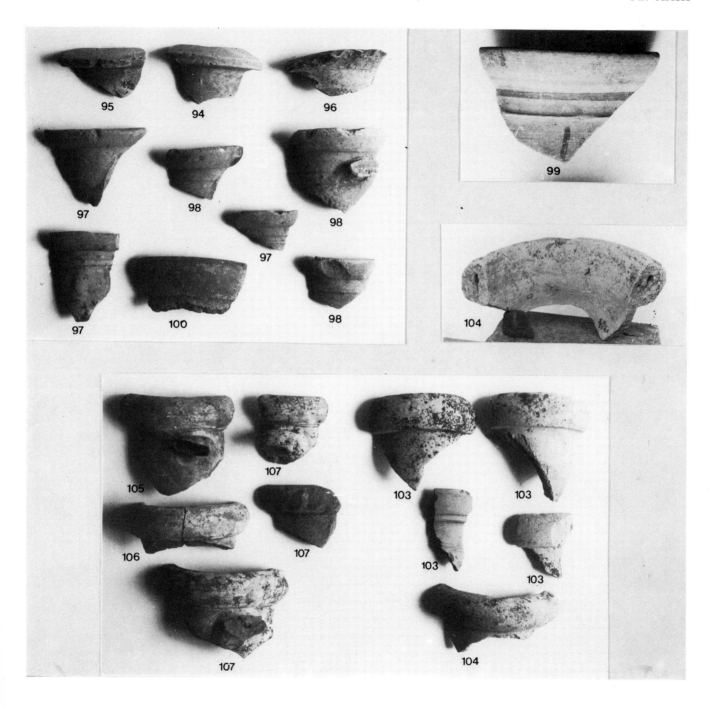

Pl. XXIV. Lipari. Sanctuaire du «terreno Maggiore». Fragments d'amphores corinthiennes type B: (**cat. 108, 110-114**) **cat. 108** cfr. fig. 22 b; **cat. 114** cfr. fig 22 c; fragments d'amphores corinthiennes type A évolué: **cat. 109** cfr. fig. 22 a; fragments d'amphores de type chiote (première variante): **cat. 115** cfr. fig. 22 h; **cat. 116** cfr. fig. 22 i; fragments d'amphores de type chiote (deuxième variante): **cat. 117** cfr. fig. 22 f; **cat. 118** cfr. fig. 22 g; fragments d'amphores du type de la tombe 469 (**cat. 119, 120** et **121**).

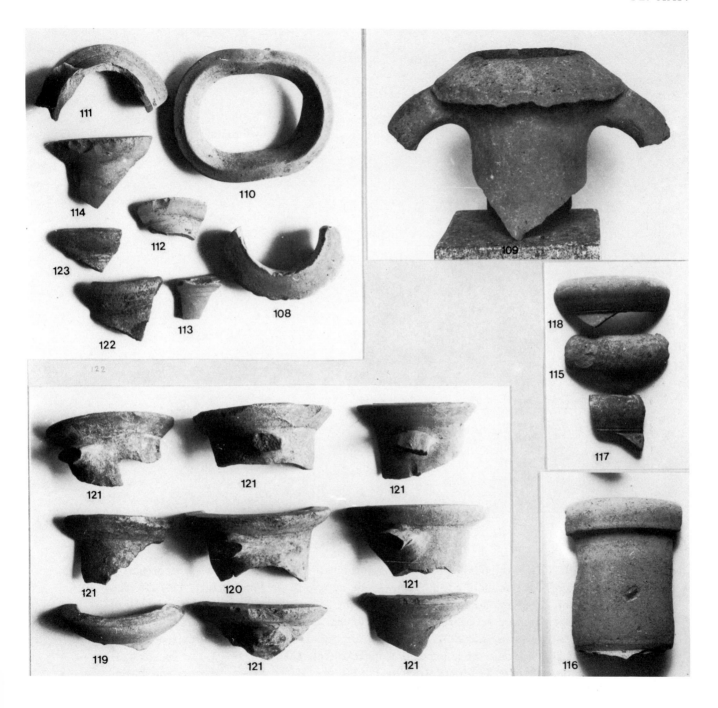

Pl. XXV. Amphores provenant des fouilles sous-marines (épaves et décharges portuaires). a) amphore corinthienne A' de l'épave G de Filicudi (**cat. 124**) cfr. fig. 23 a; b), c), d) amphores du type de la tombe 469: b) Filicudi, épave F (**cat. 131**); c) décharge portuaire de la Secca di Capistello **cat. 130,** inv. 14701; d) décharge portuaire du Monte Rosa, inv. 12227 (**cat. 129**); cfr. fig. 23 c; e-f) amphores de type chiote: e) décharge portuaire de la Secca di Capistello (**cat. 127**), inv. 14702, cfr. fig. 23 d; f) décharge portuaire du Monte Rosa, (**cat. 128**). inv. 15039; g) amphore de type massaliète. Décharge portuaire du Monte Rosa, **cat. 126.** inv. 13075.

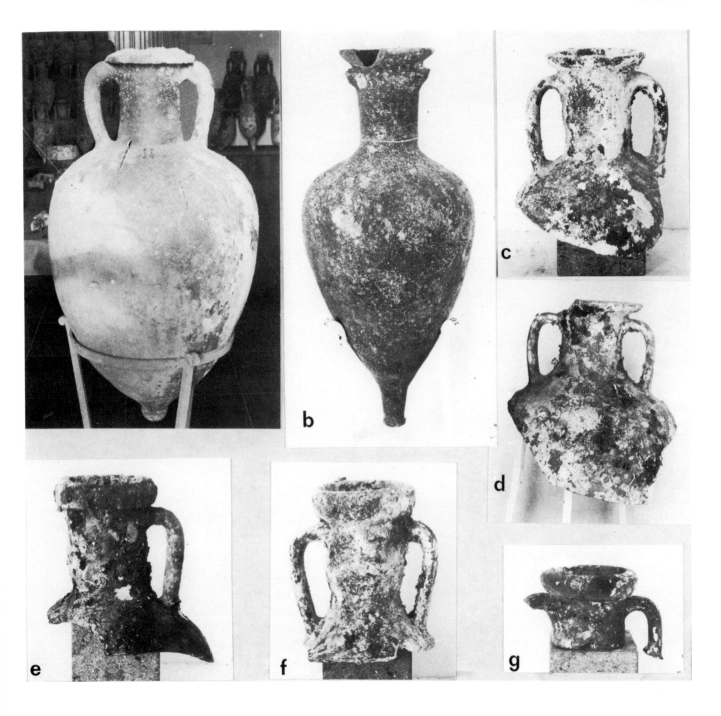

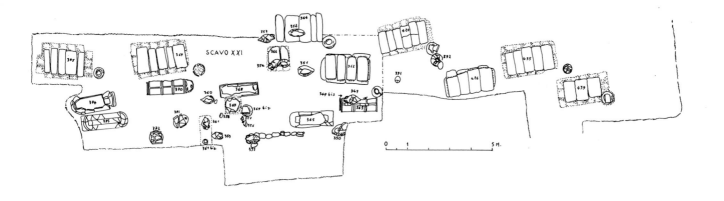

Fig. 1. Lipari. Nécropole de la «contrada Diana». Planimétrie de la fouille XXI
où ont été trouvées de nombreuses amphores funéraires formant un groupe compact.

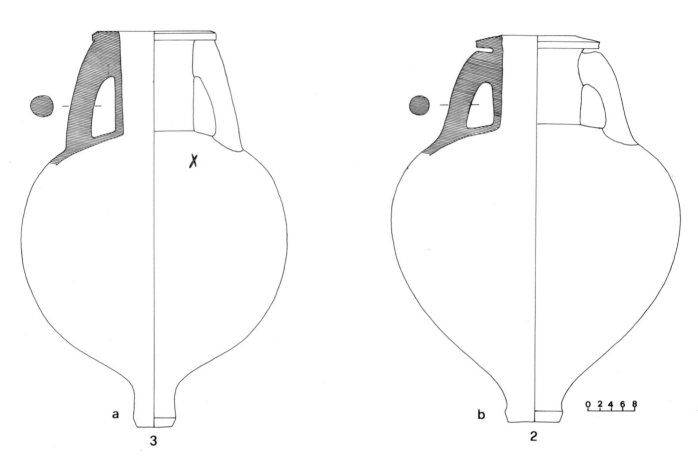

Fig. 2. Nécropole. Amphores corinthiennes du type A: a) tombe 356 (**cat. 3**) b) tombe 392 (**cat. 2**) cfr. pl. II, a et b.

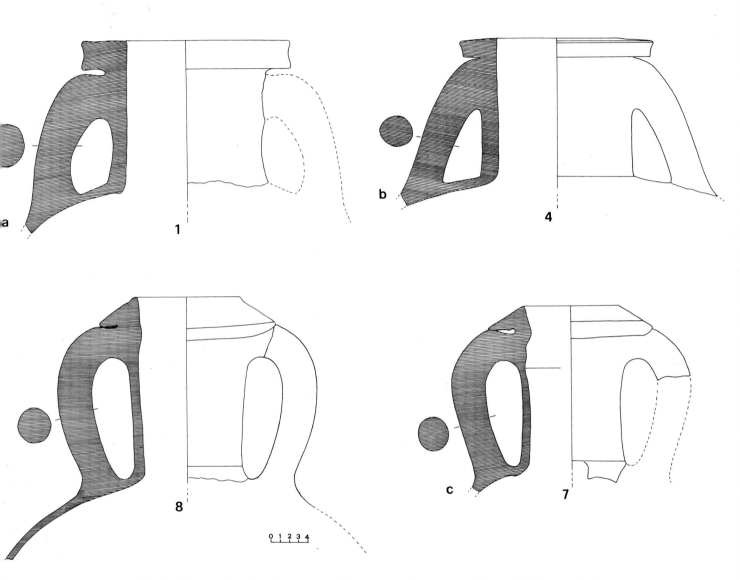

Fig. 3. Nécropole. Amphores corinthiennes: a) b) type A a) inv. 15031 (**cat. 1**) b) tombe 1062 (**cat. 4**) cfr. pl. IV d, f. c) d) type A': c) inv. 15032 (**cat. 7**) d) tombe 1410 (**cat. 8**) cfr. pl. IV c, b.

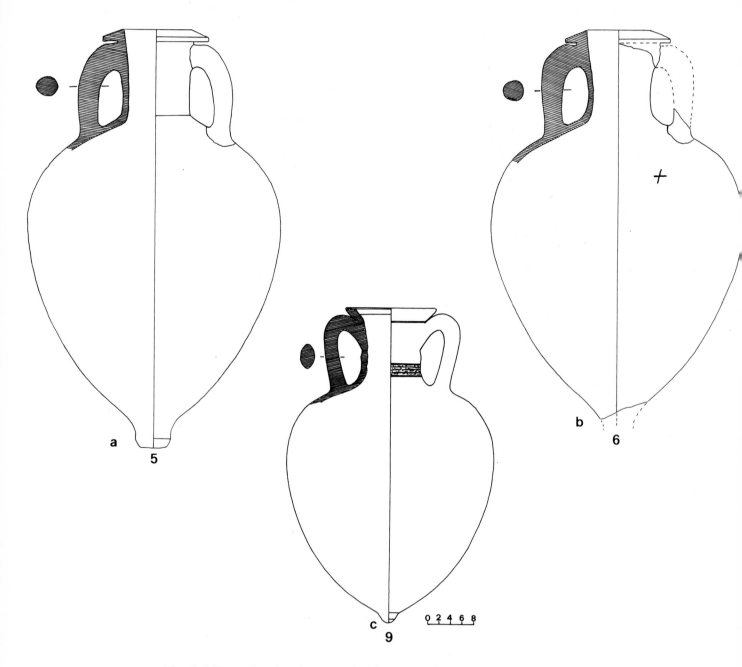

Fig. 4. Nécropole. Amphores corinthiennes: a) b) type A' tombe 1102 (**cat. 5**) et tombe 353 (**cat. 6**) cfr. pl. III, a-c; c) type B tombe 1267 (**cat. 9**) cfr. pl. IV a, e.

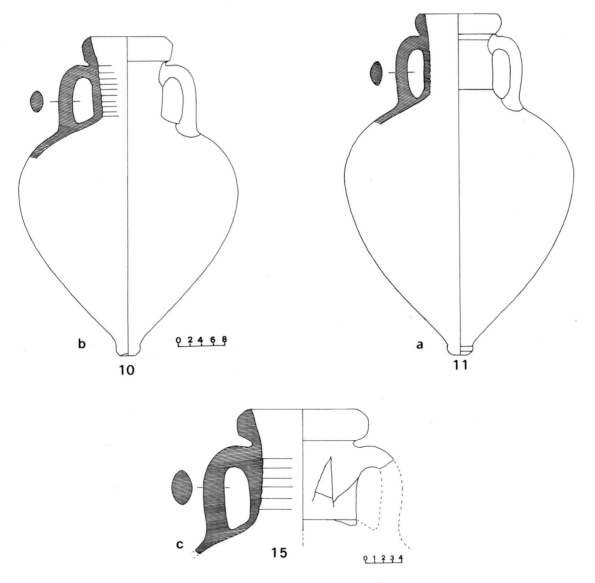

Fig. 5. Nécropole. Amphores de type massaliète. a) tombe 358 (**cat. 11**) cfr. pl. V
b; b) tombe 357 (**cat. 10**) cfr. pl. V a; c) sporadique inv. 15033 (**cat. 15**) cfr. pl. V
d-e.

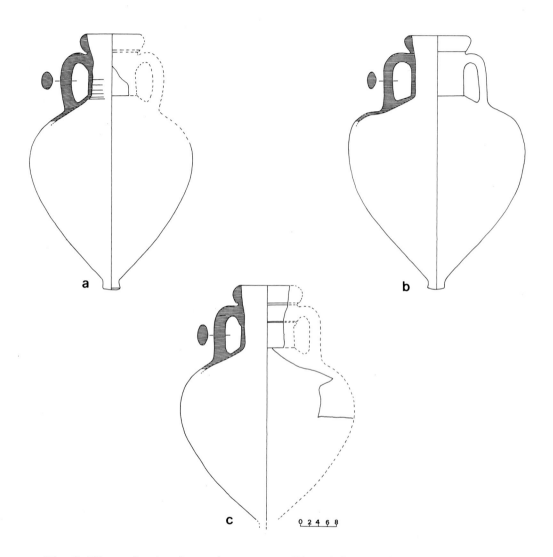

Fig. 6. Nécropole. Amphores de type massaliète. a) inv. 15034 (**cat. 17**) cfr. pl. V c; b) tombe 360 (**cat. 13**) cfr. pl. VI d; c) tombe 359 (**cat. 12**) cfr. pl. VI a.

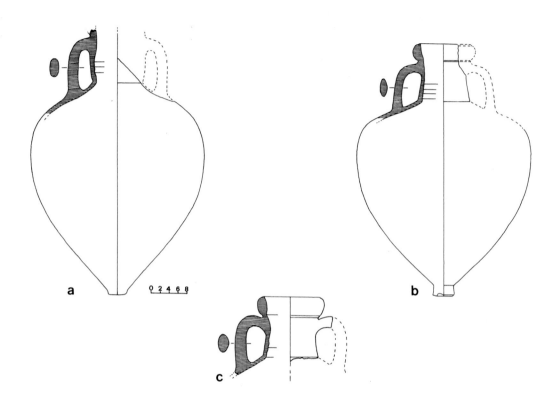

Fig. 7. Nécropole. Amphores de type massaliète. a) tombe 2089 (**cat. 18**) cfr. pl. VI e; b) tombe 361 (**cat. 14**) cfr. pl. VI b; c) inv. 15036 (**cat. 16**) cfr. pl. VI c.

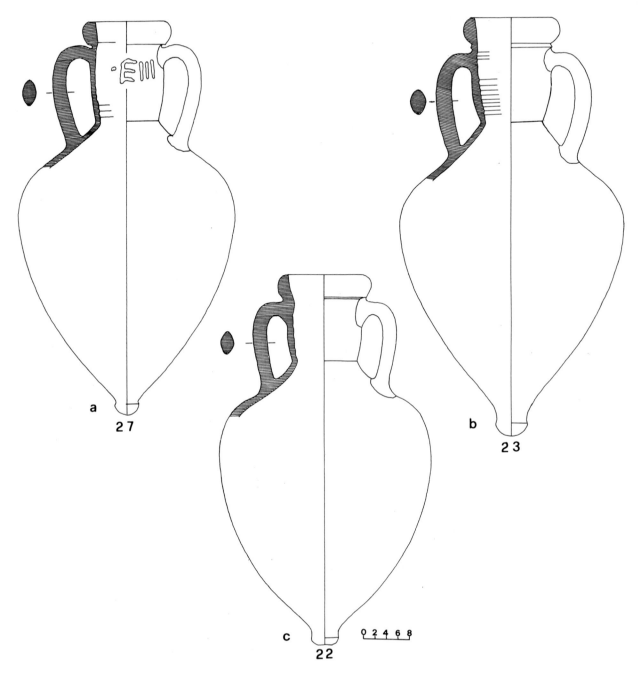

Fig. 8. Nécropole. Amphores de type chiote: a) tombe 418 (**cat. 27**) cfr. pl. IX a
et pl. XI b; b) tombe 349 (**cat. 32**) c) tombe 398 (**cat. 22**) cfr. pl. VII a, c.

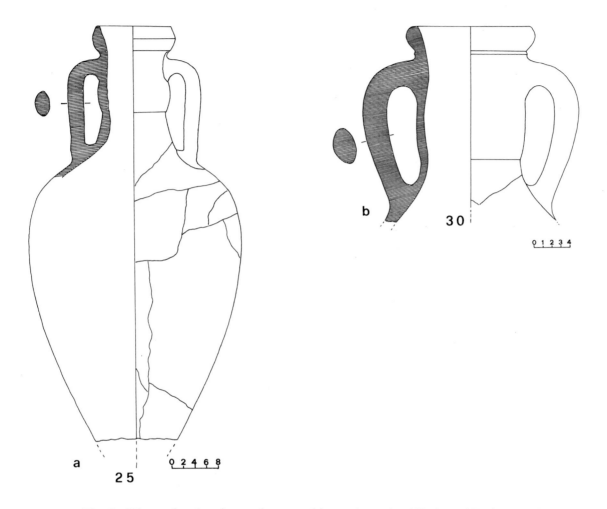

a

25

b

30

0 1 2 3 4

0 2 4 6 8

Fig. 9. Nécropole. Amphores de type chiote. a) tombe 352 (**cat. 25**); b) t. 1525 (**cat. 30**).

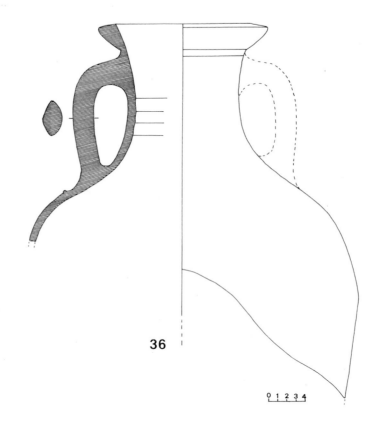

36

0 1 2 3 4

Fig. 10. Nécropole. Amphore du type de la tombe 469: tombe 469 **(cat. 36)** cfr. pl. XIII b.

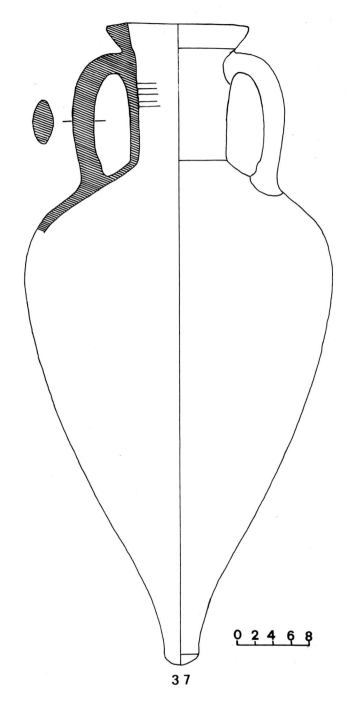

3 7

Fig. 11. Nécropole. Amphore du type de la tombe 469. Tombe 1424 (cat. 37) cfr. pl. XIII a.

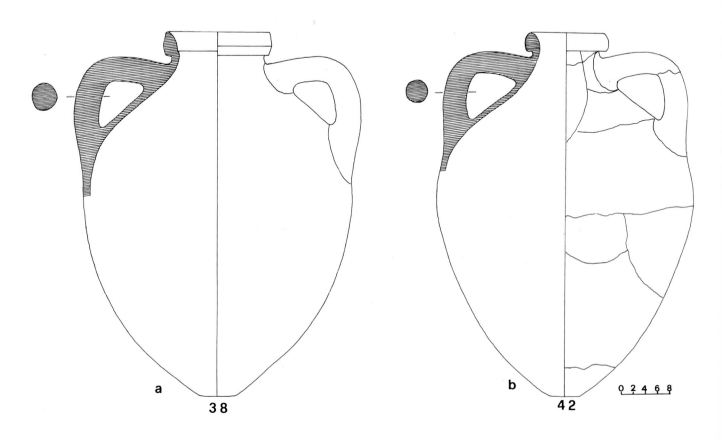

Fig. 12. Nécropole. Amphores étrusques des tombes 1212 **(cat. 38)** cfr. pl. XIV a
et 355 **(cat. 42)** cfr. pl. XIV b, d

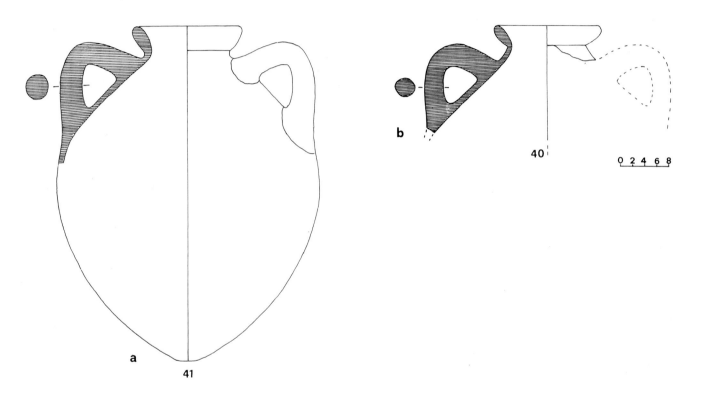

Fig. 13. Nécropole. Amphores étrusques: a) tombe 1890 **(cat. 41)** cfr. pl. XV c;
b) tombe 2082 **(cat. 40)** cfr. pl. XV a, b, d.

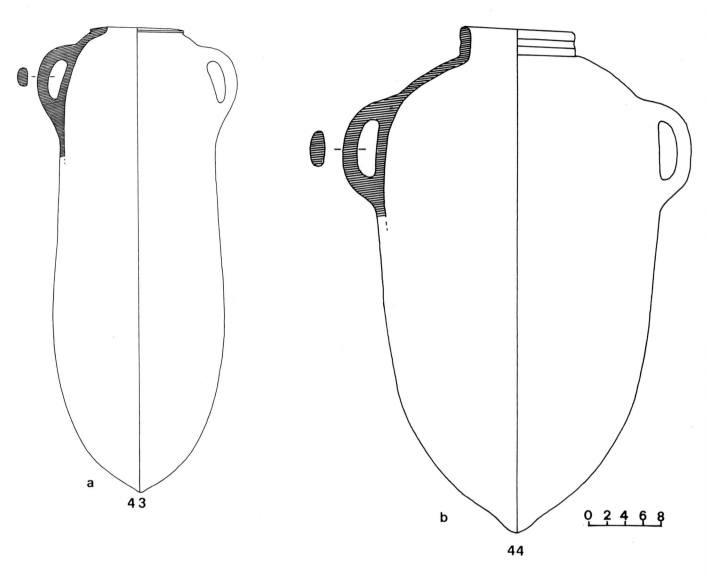

Fig. 14. Nécropole. Amphores puniques: a) tombe 1106 (**cat. 43**) cfr. pl. XVI a;
b) tombe 103 (**cat. 44**) cfr. pl. XVI b.

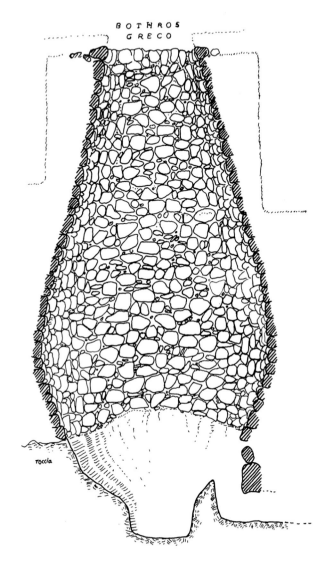

Fig. 15. Lipari. Bothros d'Eole. Section.

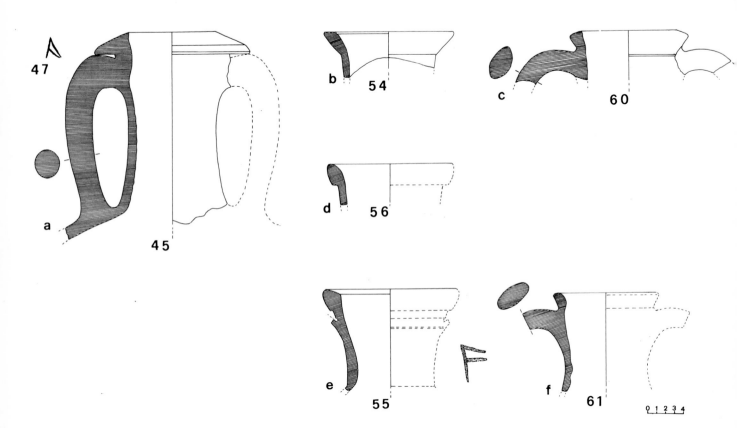

Fig. 16. Lipari. Bothros d'Eole. Fragments d'amphores: a) amphore corinthienne A' (**cat. 45**); cfr. pl. XVII a; b), d), e) amphores corinthiennes B (**cat. 54, 55** et **57**); cfr. pl. XVIII; c), f) amphores de type incertain (**cat. 60**); **cat. 61** (peut-être chiote?).

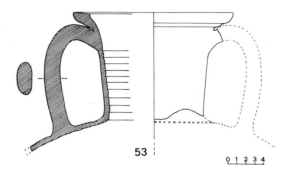

53

0 1 2 3 4

Fig. 17. Bothros d'Eole. Amphore corinthienne B. (cat. 53).

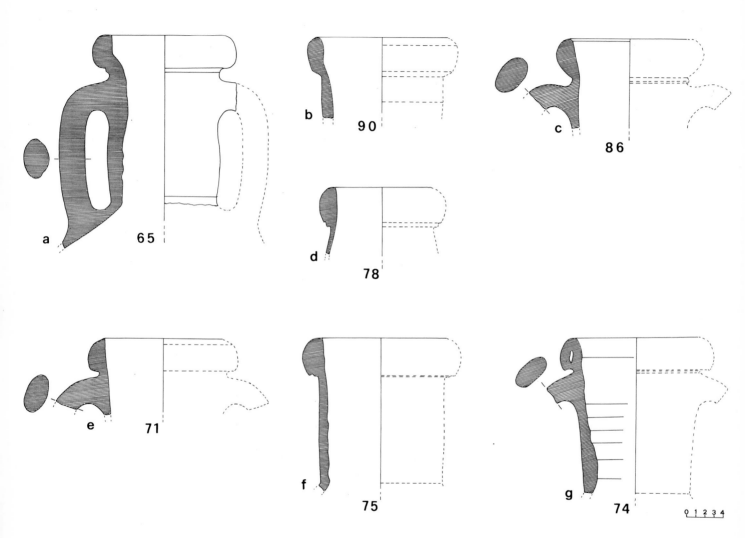

Fig. 18. Lipari. Bothros d'Eole. Fragments d'amphores de type chiote: a), d-g) de la première variante; b), c) de la deuxième variante avec engobe. a) **cat. 65**, d) **cat. 78**, f) **cat. 75**, g) **cat. 74**; b) **cat. 90**; c) **cat. 86**.

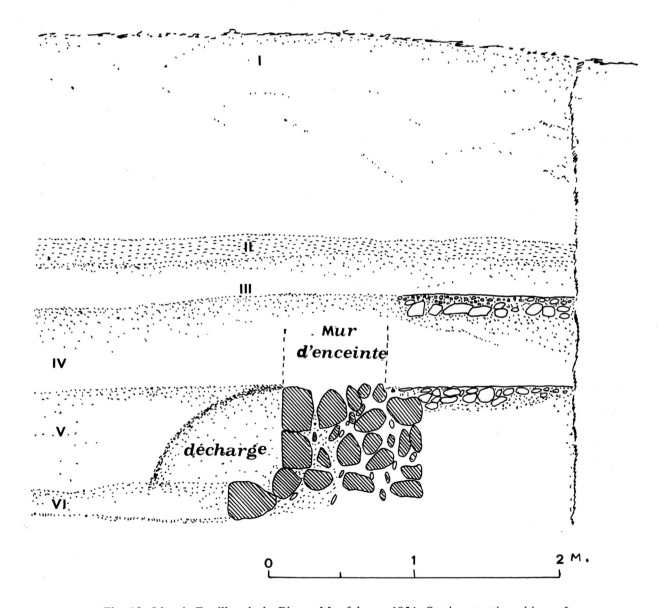

Fig. 19. Lipari. Fouilles de la Piazza Monfalcone 1954. Section stratigraphique. I couche remaniée; II couche de cendre blanche de l'éruption du VIIIème siècle après J.-C.; III couche romaine; IV couche hellénistique; V couche grecque archaïque du VIème siècle av. J.-C.

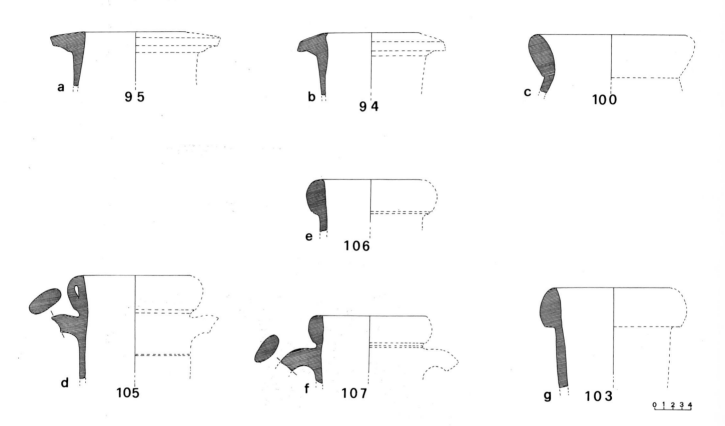

Fig. 20. Lipari. Décharge au pied de la muraille archaïque de Piazza Monfalcone.
Fragments d'amphores: a) b) corinthiennes de type A' (**cat. 95** et **94**); c) étrusque (**cat. 100**); d), e), f) de type chiote de la deuxième variante à engobe (**cat. 105-106-107**); g) idem de la première variante (**cat. 103**).

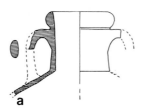
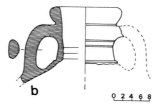

Fig. 21. Lipari. Décharge au pied de la muraille de Piazza Monfalcone. a) col d'amphore de type massaliète, (**cat. 102**) cfr. pl. XXII c; b) col d'amphore massaliète (?) (**cat. 101**); cfr. pl. XXII d.

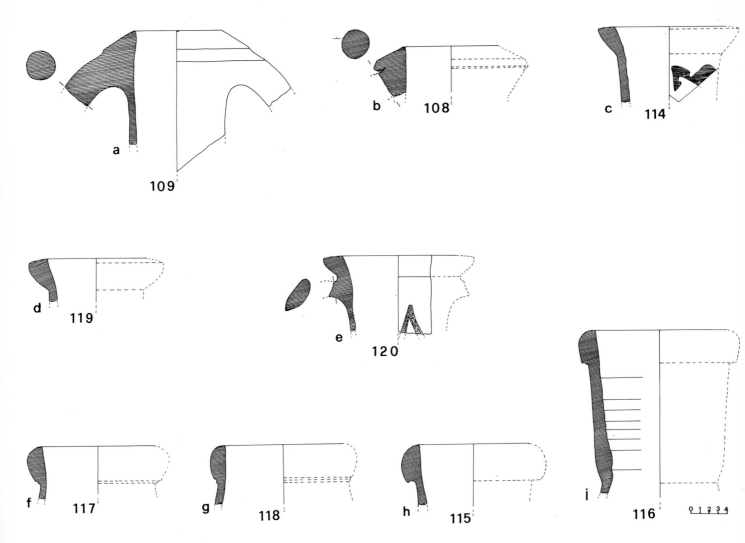

Fig. 22. Lipari. Sanctuaire du «terreno Maggiore».Couche de remblayage. Fragments d'amphores: a), b) corinthiennes A' tardives (**cat. 109, 108**); c) corinthienne B (**cat. 114**); d), f), g) de type chiote de la deuxième variante (**cat. 117-118-119**); e) du type de la tombe 469 (**cat. 120**); h), i) de type chiote de la première variante (**cat. 115-116**).

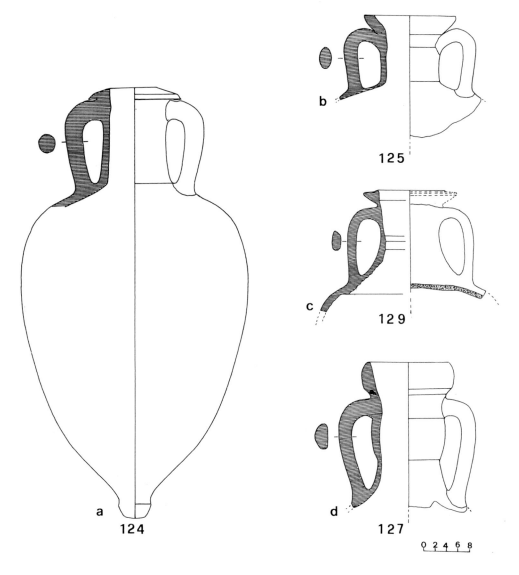

Fig. 23. Amphores provenant des fouilles sous-marines:
a) corinthienne A' de Filicudi Capo Graziano G (**cat. 124**);
b) corinthienne B de Filicudi Capo Graziano, (**cat. 125**);
c) du type de la tombe 469, de la baie du Monte Rosa (Lipari) (**cat. 129**)
d) de type chiote de la baie de Capistello (Lipari) (**cat. 127**).

Finito di stampare nel Settembre 1985
Tipografia Centenari - Roma Via della Luce 32/A-34

PUBLICATIONS
DU
CENTRE JEAN BÉRARD

Hors série

Mémoires et Documents sur Rome et l'Italie Méridionale
(Bibliothèque de l'Institut Français de Naples, IIIe série)

Sous presse